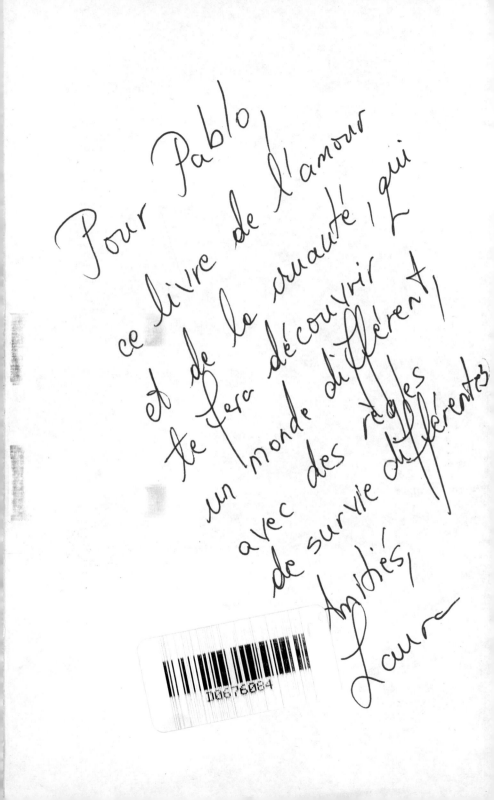

Pour Pablo,

ce livre de l'amour
et de la cruauté, qui
te fera découvrir
un monde différent,
avec des règles
de survie différentes

Amitiés,
Laura

Les femmes occidentales
n'ont pas d'honneur

Couverture : Corina Ilea, Ana Sophia Tusa, 2015
Photographie de l'auteure : Corina Ilea, 2015
Révision du texte : Sophie Jama
Autres révisions : Suzanne Beth

Laura T. Ilea

Les femmes occidentales n'ont pas d'honneur

Roman

L'Harmattan

Du même auteur

Littérature

Est. Nouvelles, L'Harmattan, Paris, 2008.

Études

Littérature et scénarios d'aveuglement – Orhan Pamuk, Ernesto Sábato, José Saramago, Éditions Honoré Champion, Paris, 2013.

La vie et son ombre. La fondation existentielle de la connaissance – Martin Heidegger, Éditions Idea, Cluj-Napoca, 2007.

Essais

*Méditations inactuelle*s, Paideia (épuisé), Bucarest, 2001.

© L'HARMATTAN, 2015
5-7, rue de l'École-Polytechnique, 75005 Paris

http://www.harmattan.fr
diffusion.harmattan@wanadoo.fr
harmattan1@wanadoo.fr

ISBN : 978-2-343-06187-0
EAN : 9782343061870

Ce livre est dédié à mon amie R.
Son histoire m'a tellement bouleversée
qu'il m'a fallu la raconter.

Je sais que, elle aussi, elle aurait voulu la raconter
comme je le fais ici. Mais peut-être aurait-elle aussi
voulu éluder certains détails. Cette histoire
est ma version à moi. Je suis convaincue
qu'elle me comprendra.

Montréal

Je regarde la photo qu'il a préparée pour mon anniversaire. Trente-cinq ans. Plus immortelle que jamais.

Je n'avais pas le moindre soupçon de ce qui allait se passer. « Nous, amants au bonheur ne croyant... » « Je ne me laisserai jamais emporter par la tristesse, mon amour. On survivra à tout, quoi qu'il arrive. » « Il n'arrivera rien, ne t'inquiète pas. »

Ce mélange d'obéissance et de révolte. Cette croyance en Dieu, tellement sincère, que je n'ai jamais pu la retrouver ensuite. Et qui rendait obsolète toute recherche d'authenticité que j'avais pu pratiquer. La cruauté d'un homme qui quitte femme après femme pour pouvoir retrouver sa bien-aimée au bled, là où il a vu la lumière du jour. « L'homme est fait pour mourir là où il a grandi », m'avait-il dit avant de fermer l'ordinateur, avant de monter dans l'avion qui allait le conduire en Kabylie, son pays, lui qui parlait plutôt de Kabylie que d'Algérie, quand il se souvenait de son enfance.

L'image est là, devant moi, et elle me rappelle mon visage, après les jeudis d'amour. Mon visage que je n'ai pu reconstituer par la suite, qui a perdu trait après trait comme si, après son départ, il s'était décomposé manifestement, laissant place à un faciès bizarre qui ne rappelle que vaguement l'intensité qui le traversait lors de son passage dans ma vie.

Ce jour de pluie, fin avril, où j'avais enfilé à l'improviste une paire de pantalons usés, les bottes dernier cri et un manteau noir qui couvrait ma tenue improvisée. Mon sac en bandoulière ; dans le sac un livre qui parlait de la cartographie absconse de l'au-delà. Un livre que j'étais venue faire imprimer dans le centre d'impression où il travaillait. À la dernière minute, j'avais intitulé le fichier *Goncourt*. Il le vit et se mit à sourire. « Dis donc, j'ai l'honneur de connaître le futur prix Goncourt ». « Il faut viser haut, sinon ça ne vaut pas la peine. Est-ce que vous avez effacé le fichier de l'ordinateur après avoir imprimé le texte ? » Il sourit de nouveau. « Non, je vais retirer la première page et l'envoyer à titre personnel. À propos, le titre est très bien choisi. » « Qu'est-ce qu'il vous évoque ? » « La vie, la mort et le passage, un continent inconnu, l'exploration d'un espace qui ne se trouve sur aucune carte. »

Visiblement, il était arrivé depuis peu de temps, sa langue était recherchée et son aplomb était celui d'un nouvel immigrant. Il s'accrochait à son passé ; il avait travaillé aux Presses universitaires de Lyon et cela aurait dû lui conférer une certaine reconnaissance dans l'autre monde. Mais cette reconnaissance n'arrivait pas. Avoir travaillé pour les Presses universitaires de Lyon, c'était comme une excuse. Un peu comme mon Prix Goncourt à moi. Que vraisemblablement je ne remporterais jamais. Je continuais à envoyer mes manuscrits de manière spontanée, aux quatre coins du monde, ne misant sur rien d'autre que sur la force de la vision des mots, et étant parfaitement incapable de maîtriser l'infrastructure, les réseaux, les attentes du marché du livre et les mécanismes subventionnaires. Après cinq ans de vie au Canada, j'étais toujours une nouvelle arrivante. Je n'avais rien à lui apprendre. Je n'avais rien appris, non plus.

J'ai remarqué qu'il ne détournait pas son regard de mes lèvres. « J'étais suspendu au mouvement de tes lèvres », m'avait-il dit plus tard. « Et je bandais sans cesse. Je devais me cacher derrière le comptoir pour que les autres ne s'en rendent pas compte. » Ce devait être mon accent slave qui le troublait. Comme lorsque je donnais des cours de danse et que les étudiants s'efforçaient de suivre. Au début. Pendant quelques séances. À mesure qu'ils s'habituaient à moi, mon accent devenait plus strident, comme une déclaration de guerre. Tout accent slave est une déclaration de guerre.

J'ai remarqué qu'il s'intéressait à moi. Je m'étais dit qu'il aimait les femmes, c'était visiblement le cas. De toute façon, j'étais ailleurs, j'avais un fils de cinq ans à élever, fruit d'une relation courte, mais décisive à Paris, et dont le père était parti dans le vaste monde pour bâtir la société de l'avenir. Je ne lui ai plus donné de nouvelles depuis. Mon livre parlait un peu de ça. Et d'autre chose, aussi. Après avoir sillonné les routes de l'Amérique à la recherche d'une chimère, je me suis mise à écrire ce livre que j'étais venue imprimer ce jour pluvieux d'avril. Personne ne l'avait lu. Ça me faisait plaisir d'entendre quelqu'un s'y intéresser, d'autant que je n'ignorais pas que des cohues de femmes et d'hommes imprimaient quotidiennement dans cet endroit, sous les yeux de préposés devenus indifférents, leurs affiches, leurs pubs, leurs chefs-d'œuvre, leurs découvertes capitales ou tout simplement leurs thèses. *Le sourire de Mona Lisa*, un bouquin de cinq-cents pages, exhibait sa substance vaporeuse, rosacée, sur le comptoir. La propriétaire le tenait dans ses mains, avide et protectrice. Moi, je faisais la même chose. Avide et protectrice, j'imprimais exemplaire après exemplaire un livre sans racine, sans poids. Pendant qu'il préparait mon manuscrit, une femme volumineuse le tracassait.

Elle voulait l'affiche parfaite pour son défilé de mode africain. Une autre fille, mince et timide, imprimait un mémoire de maîtrise qui traitait de faux documentaires sur la vie et l'œuvre de Victor Pellerin. D'après ce que j'avais vu dans un film récent, Victor Pellerin était un peintre devenu célèbre du jour au lendemain, qui avait exposé à New York, et qui, sans trop de bruit, avait disparu dans la jungle amazonienne. Le documentaire se terminait sur l'équipe d'explorateurs, de chercheurs et de photographes arrivant dans un endroit perdu au fond de la forêt, où l'homme avait semble-t-il été vu pour la toute dernière fois. On ne pouvait même pas dire avec certitude s'il était mort, s'il avait disparu ou s'il s'était simplement retiré de la scène artistique. Son existence finissait avec un grand point d'interrogation. En jetant un coup d'œil à une page qui s'était détachée du corps du mémoire, je découvrais que Victor Pellerin n'avait même pas existé, que son histoire faisait partie d'une catégorie assez répandue, celle des faux documentaires. Qu'on pouvait inventer tout un parcours et le présenter comme appartenant à une personne en chair et en os ! Cette idée m'a déconcertée, en l'apercevant. Je l'avoue.

Je connaissais bien l'endroit. J'étais venue à plusieurs reprises pour imprimer mes trucs universitaires, car j'avais commencé des études en psychologie, faute de mieux.

J'ai écrit un mémoire. Sur l'impossibilité de voir. Sur tout ce que les hommes font pour ne pas connaître le bonheur. Sur tous les pactes, les malentendus et les fuites qu'ils s'inventent pour se prouver que la vision même n'existe pas, que le moindre détail risquerait d'obscurcir la réalité.

Je n'ai pas eu de succès. Ce n'était pas ma première démarche ratée.

J'ai renoncé. Une fois pour toutes, je m'étais dit que je n'étais faite ni pour la danse, ni pour la psychologie, ni pour l'art. Quelque chose manquait à chacune de mes rencontres avec le destin. Destin – ma meilleure amie, Ava, dit que, dernièrement, ce mot revient de manière inquiétante dans mes conversations. Je n'avais pas l'habitude d'en parler. Elle me rappelle – j'étais quelqu'un qui croyait au pouvoir des hommes de changer le cours des choses. Dernièrement je lui parle du destin. Ça la fait rire. Depuis quand ce fatalisme ?

Sans fatalisme, aucune irresponsabilité.

La meilleure définition de l'amour ? Si je te le demandais soudain, tu prendrais avec moi la route 66 qui nous mènerait dans le désert. Rien d'autre. Une autre définition de l'amour ? Le désir de rester pour une fois, de continuer au-delà de l'intoxication du début ; s'abstenir d'exercer la cruauté gratuite qui maintient en vie. Ne pas exercer de cruauté, c'est déjà une bonne définition de l'amour.

Je l'ai regardé. Ai-je vu, au premier regard, le visage de la cruauté ? Son corps métallique ? Son allure ? Son coup de poing appliqué au plexus ?

Je crois que oui. Je crois que rien d'autre ne m'attire chez les hommes. Ce qui annule la volonté et impose le destin. Le destin qui remplace Dieu. Cette absence de Dieu qui nous rend malheureux. On la remplace par la cruauté qui malmène les vies. On a besoin qu'on nous malmène. De quelque manière que ce soit. C'est ça qu'on appelle le sentiment religieux.

Je suis partie moi aussi à la recherche d'un Victor Pellerin. En marge d'un faux documentaire sur un pays dont l'existence m'était inconnue.

Algérie – un pays méditerranéen plein de ressources naturelles, avec des femmes qui attendent leurs hommes leur vie durant. Le bonheur n'a pas été encore défini là-bas. Des femmes qui attendent. Cette attente – belle comme une coutume immémoriale, silencieuse et désespérée comme la mort ; cette attente est plus forte que tous les gestes qu'une femme occidentale pourrait poser. Une femme occidentale ne pourrait arracher qu'une infime partie du cœur de ces Berbères. Rien ne peut se comparer à l'attente patiente de leurs femmes, attendant tout comme leurs mères – trous bouchés, lèvres fermées, hymens jalousement préservés, anus intangibles. Une seule issue de secours – cette attente plus forte que la mort. Cette attente me vaincra, moi. Rien ne pourra lui résister. Ni l'amour que je lui ai appris. Ni sa confiance en moi ni cette complicité qui tient lieu de destin. Rien ne peut résister à cette attente ravageuse, à cette fièvre du système immunitaire, à cette patiente obéissance.

« Tout n'est alors qu'une histoire de trou bouché ? éclatai-je une fois alors qu'il me racontait l'histoire d'amour de son frère avec une femme qu'il avait dû quitter parce qu'un accident faisait qu'elle n'était plus vierge au moment de leur rencontre. Sa mère lui avait carrément interdit de la revoir, tout en lui prescrivant de choisir au plus vite une autre vierge.

– Bête mais vierge », je ne pus m'empêcher de commenter.

Il n'a pas répondu. Visiblement, il l'avait mal prise, ma colère. Rien ne doit tacher leurs mères et leurs femmes.

Ses mains touchent mes hanches ; il me prend à coups de poing, à m'égorger ; ses doigts me griffent ; ses paumes me frappent. C'est comme dans un film porno ; pas d'illusion, la leçon du sexe apprise par cœur ; une démonstration scientifique où chaque détail est important.

Il me dit qu'il a eu la diarrhée en m'attendant. Son corps tremblotant, accroché aux coups pornos, là où il s'était exercé en matière de sexe.

J'explique à mon amie Ava, lors de nos conversations habituelles, qu'au-delà d'un certain âge, il ne nous reste que le sexe, cette histoire martelée, déchirante, qui plaque nos vies au sol.

À chaque fois, j'insiste pour qu'il me raconte. Je ne peux pas vivre, je ne peux pas me réchauffer en l'absence de ses histoires. Le jour où il me jurera fidélité à vie, tout ce paysage disparaîtra. Toutes les femmes qui peuplent sa vie, elles font partie de moi maintenant. Je les connais par cœur ; j'aimerais coucher avec chacune d'elles, tour à tour. Toucher cette limite insaisissable entre perversion et plaisir où une femme accepte que son corps devienne de cire, matière inflammable. J'aimerais moi-même devenir cette force, pénétrer dans la profusion du corps de la femme, là où elle n'est plus capable de saisir la différence entre plaisir et flagellation.

Nul ne peut irriguer les veines étirées de la vie s'il n'a pas d'abord irrémédiablement dompté le corps d'une femme.

C'est grâce à lui que j'ai appris à dompter les corps des femmes. C'est lui – ma première initiation au monde des femmes. Certes, j'ai appris le sexe grâce à des hommes, grâce à leur tendresse et à leur désir. Mais je crois, j'en suis même certaine, qu'on ne peut définitivement ensorceler un homme si on ne connaît tout sur le corps de la femme, jusqu'à ce que cette matière incandescente, réfractaire et frigide, ne garde plus aucun secret.

C'est facile pour un homme de convaincre une femme de se donner à lui ; mais convaincre une femme de s'ouvrir au-delà de sa volonté, de ses convictions et de ses tabous ; ça, c'est une tout autre histoire. Et je soupçonne que toute femme éprouve cette tentation, même si irrémédiablement elle se tourne vers l'homme.

J'étais assise sur le bord de son lit. Nous avions fait l'amour pour la deuxième ou troisième fois. Il me demandait de laisser mon corps s'exprimer. Mais ça, c'était ma façon de m'exprimer. Ma beauté était comme une gifle – c'est ce que les hommes qui m'ont aimée m'avaient toujours dit. Je me retirais, j'apprenais la passivité. Mon corps se laissait faire. C'était comme du beurre, comme de la pâte, comme de la terre cuite. De la terre crue. Je ne me voyais pas de l'extérieur. Je ne voyais pas mon corps de femme en train d'être secoué, surplombé, supplanté. Rien de cela. Je flottais dans ma chair, tout en attendant le prochain coup ; j'existais pleinement ; je rivais les bords de l'insouciance ; je frôlais la mort. Puis il me réveillait :

« Quelles sont tes fantaisies érotiques ? me demandait-il.

– J'aimerais qu'on le fasse avec une autre femme. »

Il sursaute. Je le vois en train de bander. Soudain. Énorme. Pris par surprise. Il n'a pas peur de voir sa femme emportée par le désir d'une autre femme. Bonnie et Clyde, il se dit. On ne va pas aller sur

Internet, sur les sites de rencontres. Trop facile. On va s'en taper une en sortant de notre gîte. En partant à la chasse. En s'exposant. Des mineures, des blondes, des lesbiennes, du charbon, des femmes mûres, des Marocaines, des Québécoises, des serveuses, des Mila Jovovich dans le *Cinquième Élément*, tout un univers tenu sous couvercle. Un univers qui remplacera de manière définitive notre vie réelle. On n'a pas d'amis communs ; on n'a pas d'entourage ; on n'a pas de famille. On n'a rien. On n'a que ces personnages invraisemblables, avec des noms figurés, des passages irréguliers dans nos vies.

Parce qu'à l'autre bout du monde, une femme attend. Une femme vêtue de mauve, de rouge et de jaune ; une femme jeune au triste regard, qui n'attend que de s'envoler. Dans un pays inconnu dont elle ne connaît que le nom de son époux, auquel elle s'accroche à vie.

Et à mort.

J'ai vu le visage de cette femme mille fois. J'ai vu son sourire. Son innocence. J'ai vu sa jeunesse. Je n'ai jamais été aussi jeune. Le jour où elle est entrée dans ma vie, c'est comme si j'avais oublié ma jeunesse à tout jamais. Elle fait partie de ma vie. Elle est mon amie et mon ennemie à mort.

S'il avait hésité ne serait-ce qu'une seconde, peut-être que j'aurais pu pardonner à cette femme. Mais non, il l'a plantée là, devant moi, témoin invisible de mes balbutiements amoureux. Il était près d'elle quand on se cherchait maladroitement, à l'autre bout du fil, pendant nos vacances. Défendu de toucher. Défendu de baiser.

« Ouvre bien tes fesses pour moi mon amour. Mets-toi à quatre pattes. Qu'est-ce que tu as mis aujourd'hui bébé ? Est-ce que tu as mis le string blanc qu'on a acheté ensemble ? Ton odeur me manque. Tout en toi m'arrache le cœur. Aucune femme, je te le jure, ne m'a jamais fait un tel effet. Jamais. Tu as chamboulé mes codes. Avant toi, il n'y avait que la baise. Je ne croyais même pas que ça existe. L'amour. J'avais peur de ne pas pouvoir faire l'amour à une femme plus de trois mois. Ne t'inquiète pas. Il n'y a rien. Juste une cérémonie familiale. »

La chaleur de l'été algérien. Le mois de carême. Rien qui bouge. Les hommes et les femmes s'abstiennent. S'abstiennent de nourriture, de sexe, de désir, de phantasme. Le ventre vidé, ils se regardent. Se surveillent. Tissent des histoires diaboliques et entretiennent le malheur. Cette histoire de famine et de résistance leur tient lieu de drapeau, de sentiment national, de bonheur. Le soir venu, ils se mettent à manger. Jusqu'à l'aube. Ils choppent du diabète, de la glycémie ; hyper débauches frauduleuses sous les yeux fermés de l'obscurité. C'est comme ça que je vois l'hyperglycémie de ce monde. Je suis à l'affût. À un tel monde, on ne peut jamais renoncer. Il y en a eu, des femmes, qui lui ont demandé cela. Oublie tout. Oublie ton Algérie, viens vivre avec moi. C'était impossible. Oublier l'Algérie, c'était la mort.

« Tous les maux de ce pays viennent de la séparation de l'homme et de la femme », avait-il dit un jour. Il l'avait répété à plusieurs reprises, à tel point que j'avais imaginé que c'était un slogan national.

Les hommes et les femmes – séparés les uns des autres par le mythe de la virginité. Ils exportent de la viande fraîche, non touchée, propriété exclusive du nouveau mari.

« Mais comment faites-vous l'amour ? Si aucune fille n'est disponible ? Ne me dis pas que ta mère croit encore que son fils reste vierge et ne connaît aucune femme jusqu'avant le mariage. »

On pratique l'anal. Il y a pas mal de cas où la fille se fait exploser le cul par l'inexpérience de son partenaire sexuel et doit aller à l'hôpital pour se faire reconstruire l'orifice ; mais malheureusement elle ne peut pas s'y rendre sans le consentement de ses parents. Quand ils apprennent la nouvelle, ils se martèlent, ils se sentent découragés. Ils n'ont pas assez veillé à l'intégrité des trous de leur fille. Ils ont jalousement préservé l'entrée principale, la porte royale, le grand puits des trésors, mais n'ont aucunement fait attention aux denrées secondaires, aux affluences et aux échappatoires. Le désir des hommes trouve toujours des « soucoupes » et des soupapes pour se soustraire à la vigilance des familles.

Les hommes et les femmes s'entassent dans des « soucoupes » — des chambres noires, attachées aux cafés — et s'adonnent aux enlacements clandestins, aux viols passés sous silence, aux avortements illégaux. Des fœtus flottent dans les chasses d'eau des toilettes, leurs mères inconnues, leurs pères rejetés. Par voie anale au moins, pas de crainte de fœtus. On peut se faire déchirer l'orifice si l'amant est débutant. Après on se retrouve coincée entre l'urgence de se le raccommoder et la honte des parents. La fille choisit la honte, mais la honte de se voir déshonorée est un chemin trop court. Il mène droit aux enfers. La fille choisit la mort.

« Je devrais écrire un livre, disait-il. *Le plaisir interdit.* Il secouerait tout. Il y en a des femmes chez nous qui ne savent même pas ce que c'est. Avoir un orgasme. Elles se disent n'avoir pas été bénies par le Bon Dieu ; leur chair est en souffrance ; elles acceptent les étreintes hâtives de leurs maris et disent merci si ces étreintes leur apportent, au bout du compte, l'enfant désiré. »

Une grossesse à problèmes doit être tenue cachée. Une femme qui a des ovaires tordus est une honte. Une femme qui accepte la péridurale pour l'accouchement est une honte. Une femme qui croise le regard d'un étranger dans la rue est une honte. Une femme qui a des hanches plantureuses est une menace et une honte. Une femme qui oublie sa serviette menstruelle enroulée dans du papier hygiénique dans la salle de bain est une honte. Une femme qui a des désirs est une honte. Une femme qui satisfait son désir est une pute ou une vierge. Entre les deux, il n'y a que la mère ; et la mère de ses enfants.

« Écrire un tel livre me discréditerait aux yeux de tous. Je ne pourrais plus jamais y retourner. Je serais la honte de ma famille. »

J'ai remarqué que ce mot, honte, revenait dans toutes nos conversations. Il n'y a aucun acte qui ne soit potentiellement accompagné par la honte. Il n'y a pas d'acte gratuit. Tout ce qu'on fait est plongé dans la honte, ou alors dans l'honneur et dans la vantardise.

Je lui ai demandé du temps. C'était la seule fois où je lui demandais une preuve. D'amour, de fidélité, de folie ?

« Je ne sors jamais des sentiers battus, me disait-il. Si jamais je dois en sortir, j'ai de la diarrhée deux jours avant et deux jours après. »

Moi, je lui parle d'un geste. D'un acte. Quelque chose d'irrationnel, une plongée inattendue, une décision incohérente qui défie les règles de la probabilité. Qui défit la reproduction.

J'avais invoqué la même chose le jour où mon mari, mon ex-mari, m'avait dit : « Il n'y a rien de plus triste qu'une ex ; une ex-femme belle qui ne garde de son ancienne beauté ne serait-ce que la dixième partie. » Mon fils, qui a cinq ans, lui demanda : « Maman n'est pas belle ? Je croyais qu'elle est la plus belle du monde ». Et mon mari de lui répondre : « Ta mère est une ex-beauté et une ex-inspirée. Elle a tiré le mauvais sort. Il n'y a rien de plus triste que quelqu'un qui a tiré tous les sorts et qui a tout perdu. » Mon fils continuait à dire : « Maman est la plus belle du monde. »

Le soir même, il déclara, avant de s'endormir : « Je veux mourir. Et vous ne me reverrez plus jamais. » Le lendemain, j'ai plié bagage, j'ai pris mon fils avec moi et, ensemble, nous avons loué une chambre à l'hôtel. Il n'y aura pas de sentence concernant la garde partagée. Mon fils est à moi.

Quelques mois plus tard, j'ai rencontré le Berbère. Et deux autres mois plus tard, il se mariait en Algérie.

« Il ne se passera rien mon amour, tu verras. »

Rien à part cette saga familiale, à part cette dépendance à sa mère et à sa sœur. Une longue chaîne de culpabilité qui tient lieu de raison.

Ce n'est pas la première fois que je vois ça.

Les femmes sont le sacrifice incontournable. Le lien avec la douleur, avec l'impossibilité d'oublier et avec l'impossibilité d'y revenir. Et les hommes sont redevables de ce sacrifice. À vie. C'est leur guerre, leur espoir de perpétuité, leur résistance. Ils se donnent corps et âme à cette logique implacable.

À condition que la femme leur montre du respect. Qu'elle préserve ce code d'honneur et ses innombrables ramifications.

Plus il est lié à son rôle de futur géniteur, à son mariage imposé, à ses figures obligées, plus son amour pour moi devient insolite et fantasque. Depuis notre rencontre, il ne m'a fait connaître aucune partie de son monde. Personne de son entourage ne m'a même aperçue. Je suis la particule flamboyante d'un univers millénaire, qui ne sera ni détraqué, ni perturbé, ni ébranlé par aucun accident du destin. C'est sa fierté. Sa femme atterrira à Montréal d'ici quelques mois, même si l'île de Montréal était déchiquetée par des tremblements de terre successifs, même s'il perdait son travail sur Monkland, ce qui reviendrait à la même chose.

« Tu m'aimes ? il me demande.

– Pas comme avant.

– Qu'est-ce qui a changé alors ?

– Tu sais, quand j'étais toute petite, on allait avec mes parents à la plage et ils m'apprenaient à nager. Parfois les vagues étaient tellement violentes qu'on devait soit rester sur notre serviette, soit apprendre à les affronter. Si je voulais me mesurer à leur force, en essayant de sauter par-dessus, j'étais écrasée, mon corps contre les rochers, au fond de l'eau. C'était la première réaction qui me passait par la tête. Quand la vague s'approchait, en voyant sa cime menaçante, une sorte de fureur s'emparait de moi et je voulais m'élancer jusqu'à ce que je voie à nouveau la mer, de l'autre côté. À chaque fois, j'étais précipitée vers le fond. Jusqu'à ce que mes parents m'apprennent une nouvelle technique. La vague s'approche, elle est en train de se jeter sur ton corps émietté ; il faut attendre jusqu'à la dernière seconde ; ne pas partir ; ne pas s'empresser ; ne pas succomber à la peur ; ne pas trébucher. Et quand la vague est là, devant toi, menaçant de tout balayer, de tout emporter avec elle, tu fermes les yeux, tu bouches tes orifices respiratoires et tu te lances par-dessus ; la montagne se profile à la surface, tu peux même la voir si tu flottes sur le dos ; la montagne s'écrase avec un bruit infernal. Tes énergies sont épargnées. Tu flottes souriante. Les eaux sont calmes. Tu te laisses porter. Tu nages par-dessus. Tu n'opposes plus de résistance. C'est ce qui est devenu mon amour pour toi. Je ne mesure plus mes forces à des vagues qui me dépassent. Je me laisse emporter. Je ne suis plus capable de sacrifice. C'est ça la différence, si tu tiens absolument à la connaître. »

« Il peut tout te donner, sauf un monde », me disait mon amie Ava. Tout, sauf un monde. « Dans dix ans, peut-être. Mais pas maintenant. Regarde-le bien. Il t'aime, sans doute. Mais il n'a rien à t'apporter. À part cette saga familiale, porteuse de traces de pauvreté, de désir d'argent et de maisons. »

Son père. Son père absent. Il me parle de son père dès notre deuxième rencontre. Il a passé trente ans de sa vie en France. Une ou deux fois par an, il revenait à la maison. « C'est quand ma mère tombait enceinte », dit-il en souriant. « Après son premier fils, ma mère a perdu un enfant. Elle ne l'a tenu que trois mois dans ses bras. Ensuite, ma mère a eu de la difficulté à tomber enceinte. La famille de mon père voulait le convaincre de se séparer d'elle. Une femme incapable de donner à son mari plus d'enfants était coupable. L'homme devait s'en chercher une autre. Heureusement que ma sœur est née deux ans plus tard. Ensuite, ça a été le tour de mon frère. Et huit ans après, moi. Il m'a tenu deux semaines dans ses bras. Puis il a quitté la France sans que personne ne le sache. Ma mère disait que c'était pour revenir définitivement au bled. Il est passé en premier par la ville, pour parler à son frère. Ils ont eu un accrochage violent, d'après les dires de ma famille. Histoire d'hégémonie familiale ou d'argent. Toujours est-il que mon père n'est plus jamais revenu au village. Il est tombé de tout son long en franchissant la porte de l'appartement de son frère. »

Un réseau inépuisable. Chaque jour ils répètent la même histoire. Chaque fin de semaine il va voir son frère à Brossard, et chaque fin de semaine son frère lui répète que Brossard est le meilleur endroit sur la planète ; il y a une piscine juste à côté, une bibliothèque en face ; un grand terrain de tennis. Les appartements sont très spacieux. Et les centres commerciaux se trouvent à deux jets de pierre.

Sauf un monde. Il veut sortir de ce monde. Mais il y est accroché jusqu'à sa dernière goutte de sueur. Plus ce monde le déçoit, plus il y reste attaché.

Il a besoin de défiler devant ce monde avec tout ce qu'il réussit à accomplir, avec les paysages qu'il traverse et avec ses préparatifs de mariage. On était à Chicago. Après une heure d'amour, depuis la rue, on entendait les voix des femmes qui trépignaient dans la nuit d'automne ; il bandait encore, et en même temps il se précipitait sur l'*iPad* pour voir si on lui avait répondu sur *Facebook*, si tout le monde était au courant de son arrivée aux États-Unis. Il surprit un message : « Donc, la visite présidentielle aux États-Unis a finalement eu lieu. » Une ancienne amante, seule, perdue dans la foule californienne. Je pense qu'il bandait davantage en lisant ce message qui le touchait de l'autre côté de son grand rêve américain.

Son rêve avait déraillé par la colère, par l'impatience et l'incompréhension.

« L'univers se partage en deux catégories, me disait-il. Ceux qui sont capables de tuer et ceux qui ne le sont pas. À quelle catégorie appartiens-tu ? »

Un jour, j'ai surpris son regard s'apprêtant à tuer. On était dans le métro. C'était l'époque où son horaire au centre d'impression pour lequel il travaillait ne lui permettait plus de respirer. Où il s'était dit, me l'a-t-il avoué plus tard, qu'il était destiné à cette vie merdique, à ne toucher que quatorze dollars de l'heure pour toute l'éternité ; à galérer et à se chamailler pour cinq sous ; à s'engueuler avec son patron pour ne pas avoir reçu sa dernière paie.

Un Québécois louche s'assit face à nous. Il le regardait d'une drôle de façon, en souriant de travers. Je vis son sang lui monter vers les tempes ; son pouls s'accéléra. Il sortit ses clés avec le petit couteau au milieu et se les enroula autour du poignet. Il était prêt à passer à l'attaque. « Je te nique la race », lui cria-t-il. Le gars devant nous continuait à sourire. « Je vais t'enfoncer le couteau en plein visage », lui siffla-t-il, avant que l'autre ne descende à grands pas empressés. Il voulut se jeter sur lui, mais les portes se refermèrent devant nous. Il serra les poings jusqu'à ce que des traces profondes fassent apparaître du sang sur ses mains.

« Ce soir-là, j'aurais été capable de tuer, me dit-il. Et toi ?

– Moi, je sais une chose. Quand tu es derrière moi et que tu accélères, je me dis que ce serait mieux d'être tuée par toi que de vivre sans toi.

– Je t'aime bébé. Je ne renoncerai jamais à toi, mets-toi ça bien dans la tête. »

Je suis devenue équilibriste, dangereusement juchée sur la corde suspendue au-dessus de l'abîme. Il sait une chose : les artistes sont plus sensibles que le reste de l'humanité. Ils sont plus enclins à commettre un suicide, à se torturer, à s'affliger, à s'accabler, à tortiller leur cul prétentieux dans les orifices de l'enfer. Il le sait parce qu'il a lui aussi goutté à ça à un certain moment de sa vie. Il est même inscrit sur la page *Facebook* de Paris Jackson, qui a fait dernièrement une tentative échouée de suicide. Paris Jackson, la fille de son idole, Michael. Il avait appris par cœur tous les mouvements du *Moonwalk* ; il avait même fondé un groupe de danse avec son meilleur ami, Aziz. Ils étaient inséparables, le gars aux grosses hanches et à la voix sombre, et le beau gosse aux petites hanches et aux fesses d'éphèbe. Ils avaient troué le cul de Dahlila, de Leila, de Ghizlaine. « Par derrière, ça va de soi, nous ne voulions pas les épouser, qu'est-ce que tu crois ? » « Raconte », je lui demandai, en prétendant m'intéresser aux femmes. D'ailleurs, je ne faisais pas semblant, ma curiosité était mêlée d'un profond sentiment d'appartenance. Les femmes et les hommes de la partie du monde d'où il venait m'étaient tellement inconnus que je ne pouvais me les approprier que par la voie des rapports sexuels illicites. Sans préservatifs, sans protection, les filles suçaient des queues et retournaient à la maison, couronnées d'immaculées louanges de la part de leurs pères. Je pense avoir commencé à détester l'innocence après qu'il m'a tout raconté sur ses collègues de l'université qui l'appelaient et se masturbaient au téléphone en pensant à son *Moonwalk*. À ses voisines, tirées par les cheveux, battues et déchiquetées pour avoir regardé du coin de l'œil un inconnu dans la rue. Et surtout à toutes ces vierges, fermées à clé pour qu'un jour des hommes partis s'installer à l'étranger se raffolent de leurs grâces ; toujours des hommes de succès, qui participent à l'achat des maisons au bled avec leur crédit étudiant et qui organisent des mariages princiers avec l'argent mis de côté pendant les longs mois d'hiver où le chauffage est réglé au minimum ; ceux qui préparent chaque jour leurs boîtes à lunch pour ne pas gaspiller leurs quatorze dollars de l'heure.

« Qu'est-ce qui t'a plu le plus aujourd'hui ? », demandait-il à la fille surexcitée, à l'autre bout du fil. Et il mettait le téléphone en mode conversation pour que son ami entende ce que ces filles avaient à lui dire. « Quand tu m'as prise par-derrière… Oh, mon amour, ça me manque déjà… » Et les deux gars pouffaient de rire tout en couvrant le récepteur pour que la fille n'entende pas leurs remarques moqueuses. « Quand tu m'as sucé les seins et m'as frappé les fesses. Oh chéri, t'es l'homme le plus viril que j'ai jamais connu. » Aziz se retournait pour lui dire : « À part moi. » Bien sûr, à part toi, ça va de soi. Entre eux la compétition n'existait pas. Aziz et Amran, ils sont inséparables. Rien et personne ne pourra jamais les éloigner l'un de l'autre.

Dès leur première sortie en France, les femmes occidentales leur ont demandé de faire plusieurs tests : chlamydia, gonorrhée, maladies à transmission sexuelle.

Cette obsession n'existait pas au bled. D'un coup, leur rôle de mâle dominant reçut une gifle. Ils commencèrent à haïr toutes ces Occidentales. Elles jouissaient comme jamais elles n'avaient joui avec leurs amants, mais la liste des tests était incontournable.

Françoise – son amante pendant trois mois, la femme de son patron. Il travaillait dans la restauration. Il avait peur de perdre son boulot. C'était la première fois de sa vie qu'il avait mangé du porc. « C'est dégueulasse de manger du porc », m'avait-il dit une fois. « C'est dégueulasse de dire que c'est dégueulasse de manger du porc », lui avais-je rétorqué. « Ma belle-sœur ne touche jamais au porc ; elle enlève toujours la gélatine quand elle cuisine. On sait jamais. » « Tu n'as jamais touché au porc ? », lui demandai-je. « Une seule fois, quand j'étais en France. J'ai mangé du chorizo jusqu'à en vomir. » « Tu t'es senti impur après ? », j'insistai. « Je me suis senti coupé de tout. C'était comme si j'avais trahi ma mère, ma sœur, ma patrie. » « C'est le porc qui vous tient lieu d'hymne national ? », ne pus-je m'empêcher de lui répondre. « Arrête d'insulter ma culture », dit-il en me coupant brusquement la parole. C'est comme ça qu'il me coupait à chaque fois que je commençais à lui parler du porc, du hijab, de l'amour (l'amour est une insulte, lui avais-je jeté, et à lui de me regarder d'un air renfrogné et de me verser la toute fameuse phrase : « Arrête d'insulter ma culture »). Donc le porc, le plaisir des femmes, l'Immaculée Conception, la vie après la mort, les heures passées au téléphone avec sa famille, les comptes rendus chaque samedi à son frère aîné, qui le surveille, épie, compare.

Il me faut des remplacements forts, des remèdes imbattables, des projections faramineuses, la panacée pour pouvoir oublier son odeur. L'odeur de ma vulve quand je me touche, le goût du vin rouge – mon accompagnateur d'une vie dans mes mésaventures ; les sites pornos – de plus en plus de violence ; l'acte amoureux en soi ne me dit plus rien. Je me demande comment j'ai pu à une certaine époque trouver mon salut dans les bibliothèques. À chaque fois que le mal s'emparait de moi, je m'enfermais dans une bibliothèque. Je me sauvais par les cours métaphysiques de Plotin, par les fabulations mystico-mystagogues de Swedenborg ; ou par les coquines, galantes et intrépides descentes en enfer de Strindberg. Je me demande comment j'ai pu gravir les marches de l'éternité dans les pires moments du mal de vivre ; et comment font les autres pour survivre à la perte de l'amour.

Comment la pauvre Françoise a-t-elle pu survivre à la perte de son Amran ? L'homme qui part, la femme suppliante. Il n'y a que l'avenir qui nous donne cette cruauté de partir. Mais l'avenir est un trésor secret, une bombe à retardement que peu de gens connaissent. On ne peut remplacer l'ivresse de l'amour par des débris. Il nous faut une force équivalente. Et la seule force que je connaisse c'est l'avenir. Bibliothèques, danse, mondes imaginaires, amants imaginaires, voyages, tout ce qui déchire notre peau et nous projette ailleurs.

Un autre objet de dispute, cet avenir. Mes milliers d'antennes, mes pensées, mes désirs, mes stupéfactions se dressent vers ce bloc multi chrome de l'avenir. Scruter, devancer, obtempérer, manigancer, négocier, escroquer, pour que cet avenir resplendisse devant moi comme une merveilleuse route 66.

Et à lui de me dire : « Il n'y a rien de plus dangereux que ce désir de connaître l'avenir. » On était dans la voiture, sur Mont-Royal, encore raides amoureux. L'avenir était alors entre nos mains. Du moins, était-ce ce que je pensais, moi. C'est d'ailleurs la chose qui me rend folle. Son avenir était tranché dès le début. Il n'y avait que moi qui semblais ne pas le comprendre ; moi qui divaguais mille fois sur le libretto radieux de la prière de l'Imam. Aucune échappatoire, aucune issue, aucun terrain d'entente. Trous bouchés, membres immaculés.

C'est le diable qui nous donne cette envie de connaître les voies mystérieuses de l'avenir. C'est une horde. Des diables juchés sur les épaules les uns des autres, en étalant chacun de petites parties du livre de notre destin. Le dernier déploie les cartes de notre vie passée et enchaîne des formules chiffrées de ce qui nous attend. Si par hasard, tu arrives à grimper le chemin escarpé des diables recroquevillés, arrivé à la dernière marche, si tu attrapes la main du dernier émissaire de la création, tu attrapes la mort. Tu es frappé par un coup violent, ta parole est obnubilée pour l'éternité ; la connaissance vient avec la mort.

Sa dernière parole : « Fais confiance à l'avenir. Ne scrute pas. Laisse les choses se dérouler d'elles-mêmes. » « Oui, et entre temps, laisse ta mère faire les préparatifs du mariage, acheter des maisons, des draps et des couvertures ; laisse tes tantes, tes cousines et tes parentes arborer leurs souhaits et leurs vœux de bonne vie ; laisse tes frères acheter leurs billets de rentrée depuis leurs lointains pays d'immigration. Laisse carrément l'avenir sceller notre fragile rencontre. Après quelques mois, elle ne sera que de l'ombre. » En attendant, il ne savait rien faire d'autre qu'attendre.

Et pourtant, c'est précisément cet avenir qui me sauvera, peut-être. Et précisément cet avenir, ce manque d'avenir qui a perdu Françoise, la femme du patron, après qu'Amran l'a quittée. « Elle ne pouvait plus se laisser toucher par son mari. Des mois et des mois sans aucun rapport sexuel. On lui a découvert plus tard un champignon qui se répandait à une vitesse ahurissante sur les jambes, à l'entrejambe, sur le ventre, à l'intérieur de son vagin. On n'a pu en découvrir aucune cause. Elle me disait que cela lui venait de moi, du fait de ne plus faire l'amour avec moi. Dis donc ! Les femmes occidentales ont, elles aussi, les trous bouchés ? », s'en moqua-t-il avec une certaine fierté. Est-ce qu'il veut la même chose de moi, me demandai-je. L'aveu de la souffrance ?

Est-ce qu'il veut me transformer, moi aussi, en une femme qui attend ? Je ne deviendrai jamais une Françoise. Et un jour, sa femme ne sera plus vierge. Là, mon tour commencera.

Il vit dans un petit deux et demi. Il fait des économies. Il se connecte chaque samedi et chaque dimanche à l'Algérie, avec sa famille. Sans faute. Tous ses matins sont dédiés à leurs rencontres sur *Skype*. Tous les samedis après-midi, il voit son frère et son neveu. Vers onze heures du soir, il prend le bus qui le dépose au métro, puis il prend le métro qui l'amène chez lui. Parfois les fins de semaine il voit des gars de chez lui qui lui demandent tous quelque chose : de s'inscrire dans un parti qui lutte pour l'indépendance de sa petite région, la Kabylie ; de préparer la maquette pour un auteur dont le livre vient de sortir ; de les conseiller – de nouveaux arrivants perdus dans les méandres de la ville et dans les tentacules de leur communauté. Qu'est-ce qu'ils devraient faire ? Quel chemin devraient-ils emprunter ? Qu'ils le veuillent ou non, qu'ils opposent résistance ou qu'ils acceptent leur destin, la réponse est toujours la même : les centres d'appel. Lui, il l'a échappé belle. Lui, il n'a pas dû passer une éternité dans des centres d'appel. Toutes ces voix entassées qui répondent, qui harnachent, qui déguerpissent, qui racontent, qui rétorquent, qui nasalisent, qui maudissent. Des Tunisiens, des Marocains, des Algériens, des Haïtiens, des Mauriciens, des Congolais – des fantômes sans visage. Au moins, dans le centre d'impression de Monkland, là où il a enterré une année de sa vie en empilant des dossiers, en multipliant des paperasses, en imprimant des marchandises, des œuvres de la vie – ce *staccato* fulminant de la terreur existentielle –, des thèses, des maîtrises, de faux reportages ; au moins, là, il avait un visage.

Personne n'a jamais songé à embaucher des conteurs dans les centres d'appel. Des hommes et des femmes anonymes qui te racontent leurs rêves, leurs illusions, sans aucun message érotique. La débauche – c'est ce qu'on vend comme histoire. Sur les sites Internet, dans leur manière à eux de faire l'amour, des hommes qui regardent les sites pornos ; de plus en plus *hard*. La violence est l'ingrédient numéro un du bonheur.

Il avait un visage sur Monkland. Il était venu au Canada comme un boxeur sur un ring. « C'est qui le boxeur ? », on lui avait demandé. Et lui, tout de suite à l'appel : je suis là, commence le travail dès la troisième semaine après son arrivée, je suis là, commence les études, je suis là, commence la chasse à la femme. Le monde occidental est libre, la femme n'a pas d'inhibition. Sites de rencontres – un fulgurant rendez-vous au collège Rosemont, rien ne clique. Une petite étudiante sur Côte-des-Neiges, un court baiser devant la station de métro, mais pas de baise. Depuis, l'étudiante lui jette des regards pleins de haine. Ils se sont croisés à plusieurs reprises dans le quartier, et à chaque fois son regard lui plante des couteaux dans le visage.

Sa femme l'attend au bled. Il l'a connue lors du mariage de son frère aîné. Celui qui a tenté sa chance avec une Française, vendeuse de lingerie intime. Mais ça n'a pas marché. Violence conjugale, gifles, menaces, le refrain : « Bien sûr. Qu'est-ce que je pourrais attendre d'un Arabe ? » La jalousie, le territoire, la mère, les ancêtres. Surtout la mère. Surtout les ancêtres. Qui ont fait la guerre. Qui ont connu la famine. La pauvreté. L'exil. Le mariage de son frère aîné a mal tourné. Sa femme française avait porté plainte contre lui pour l'avoir bousculée, immobilisée, humiliée. Dernièrement, il s'est fait refuser la nationalité française. Quelle est la valeur de la parole d'un Arabe contre celle d'une Française ? Sa mère lui raconte qu'il était le plus beau parmi ses quatre fils. Maintenant il est en train de vieillir, en chantant toujours des louanges à la patrie qui l'avait refusé : ici, on a de l'Internet gratuit, ici tout le monde déménage quand il veut. Pourquoi faut-il attendre le premier juillet pour que tout le monde déménage ? D'ici je peux aller chez nous quand je veux... Ici, on touche le salaire minimum depuis vingt ans et rien ne semble changer. Ici, ça n'a rien à voir avec le Canada, surtout parce qu'il ne sera jamais accepté là-bas, avec ses antécédents.

Il s'est séparé de sa femme française. Elle ne pouvait pas avoir d'enfants. Sans enfants, la tribu sera déchue, on se moquera d'eux, on les ridiculisera. Son frère aîné a pris une fille de son village, collègue d'université d'Amran. Le monde dit qu'elle est son ancienne maîtresse, qu'il l'a passée à son frère. Le maquillage strident, le rouge à lèvres foncé, la robe rouge et jaune, la couronne sur le front – le mariage porte des fruits. Elle est enceinte. Elle attend une fille.

Lors du mariage de son frère, il avait connu sa femme. Elle est bien éduquée, sage ; sait bien cuisiner. Elle prépare du couscous, des légumes à la vapeur, des plats à la viande. Elle ne touche jamais au porc. Jamais de sa vie elle n'y a touché et elle n'y touchera jamais. Personne ne l'a touchée et personne ne la touchera, à part son mari. Je sais qu'elle a de beaux seins, mais qu'il a peur qu'ils soient un jour moins beaux, tout comme les seins de sa mère. Qu'elle n'a pas les fesses rebondies, comme il aime. Et qu'elle n'a pas de belles jambes, c'est sa mère qui le lui a fait remarquer. Elle a fait le classement des jambes de ses belles-filles : les plus belles sont celles de la femme de son frère aîné, après viennent les jambes de la femme du deuxième frère, homme d'affaires au Canada ; et ensuite les jambes de sa femme. Ça le fait souffrir, mais c'est le destin qui le veut. Tout ce qu'il a vécu auparavant, ce sont des errances. Il y avait toujours chez les femmes qu'il avait connues des choses qui ne lui plaisaient pas. Sa femme est vierge ; et ça fait déjà la moitié du prix. Par contre, personne ne se demande à quoi ressemblent les jambes de sa sœur. Sa sœur est seule et divorcée, dix ans après s'être physiquement séparée de son mari, un fainéant.

Je ne sais pas comment elles arrivaient à ne pas s'étrangler dans les harems du sultan. Comment est-ce qu'elles faisaient pour ne pas se verser du poison dans leurs verres remplis d'amertume ? Elles s'adonnaient chaque jour à la mécanique de la séduction, à l'immortel déséquilibre du désir. L'amour est amour d'immortalité, disait Platon. Il naît d'un manque et redevient manque. Entre les deux manques, la beauté féminine fait son jeu. D'ailleurs, il suffit d'un seul détail pour que le désir des mâles se mette en marche. Il lui suffit que sa femme ait de beaux seins.

Je lui ai dit une fois : « Tu connais l'histoire de Roxelane, la première femme du harem du sultan Suleyman ? Fille d'un prêtre ukrainien, elle est entrée dans le harem du sultan alors qu'elle était très jeune. D'une ambition démesurée, elle s'est mise à construire systématiquement son empire dans le cœur du sultan, en écartant petit à petit toutes ses concurrentes. Elle se refusa, manigança, tissa des intrigues, se refusa à nouveau au sultan, tua, fit du chantage et des enfants au nombre de cinq, donna des héritiers au trône, utilisa sa force de séduction comme un couteau, s'insinua, s'imposa. Elle devint la première femme dans l'histoire ottomane à avoir imposé à son mâle souverain l'exclusivité de la possession. Elle devint la première et la seule maîtresse du harem. Le pouvoir qu'elle exerça sur son mari se transforma en pouvoir étatique… Elle resta gravée dans la mémoire du peuple… Moi aussi, je vais tuer toutes les prétendantes, lui avais-je annoncé triomphante à l'époque où je me croyais encore la maîtresse de son harem. »

Il souriait vaguement. Je me demande maintenant s'il n'avait jamais embarqué dans mes scénarios. Moi, j'avais déployé les plus invraisemblables projections d'avenir. Lui, il voulait que le passage se fasse doucement. Qu'il ramène sa femme ici et que l'on continue à faire des projets ensemble. Qu'il reste accroché à moi.

Depuis, mon trajet s'est assombri. Je me suis retrouvée dépossédée de tout, vouée à la mort. Hier, j'ai rêvé d'une cérémonie indienne où on tranchait en deux la tête de la victime pour en arracher l'âme. Et j'ai rêvé de grands animaux qui volaient sombrement. J'ai rêvé de *Dead Man*, l'histoire d'un homme tué qui se retrouve par la suite dans la chambre où il a connu sa mort. Il continue son voyage comme si de rien n'était. À la fin du film, on comprend qu'à un certain moment il avait franchi le seuil de la mort. Qu'il se dirigeait vers la mer de l'oubli sans s'en apercevoir.

J'ai l'impression de me retrouver dans la deuxième partie du film.

Je l'ai vu en Ulysse, le grand voyageur. Dix longues années passées à l'extérieur de son pays, errant d'une île à l'autre, d'une femme à l'autre ; des sirènes des plus dangereuses lui ont barré le chemin : la Russe, la Québécoise, la Franco-Canadienne, la femme médecin frigide, celle qui s'était retrouvée toute jeune dans des logements sociaux et n'acceptait jamais qu'on lui fasse le cunnilingus. Enfin, il a failli tomber entre les mains d'une sorcière, la Circé des Balkans. Il a failli y laisser son âme et son corps. Mais au dernier moment, il s'est redressé. Il a surmonté tous les dangers. À la fin du voyage, sa Pénélope l'attend. La boucle est bouclée, les tremblements de terre oubliés ; tout s'est arrangé ; il a emprunté le droit chemin.

« Ça ne s'arrange pas ? lui avait demandé son frère, trois mois avant son mariage.

– Ça ne s'arrangera jamais. Je ne renoncerai jamais à elle. »

Elle s'est entre-temps transformée en une Circé épouvantable. Il s'éloigne de son île afin de retrouver le fil de son destin au village.

On sortait les dimanches. Quelques heures dans le quartier Monkland. Le désir brûlait nos intestins. La différence d'âge était le fusil. Parfois je prenais mon fils avec moi – comme ça, on jouait les innocents, le couple, la Sainte Famille. On souriait à l'idée de cette imposture.

Les premières belles journées de printemps. La vie filait à grands pas. Toutes les femmes étaient belles. Toutes les femmes étaient des proies. Il n'y avait que le sexe, la beauté, des histoires fulminantes qui attendaient à gorge déployée à chaque coin de rue. Sa femme était cachée derrière les montagnes. Sa mère se tenait à l'abri de l'ombre. L'Amérique lui faisait peur. Elle n'avait pas encore envahi les photos, les conversations *Skype* et les finances de son fils.

Des poussettes en surabondance. La rue débordait de monde. Une seule table libre au café *Cho'cola*.

On prit place. On entama une conversation au hasard, de celles qui ne flanquaient aucune inspiration, à part celle de la séduction. Une jeune fille blonde s'apprêta à nous servir.

« Est-ce qu'on peut reconnaître si un couple est à son début ou s'il vit les dernières heures de son histoire ? », je demandai à la fille.

Prise par surprise, elle chercha ses mots, balbutiants.

« Oui, je crois que oui, fut sa réponse.

– Et le nôtre, qu'est-ce que vous pensez de notre couple ? », lui refilai-je.

Elle baissa les yeux et articula difficilement, tout en évitant le regard d'Amran :

« Je crois que votre couple est en train de se former.

– C'est vrai, on cherche de nouveaux registres pour l'assaisonner.

– Par exemple…, répliqua la fille, piquée par la curiosité.

– Par exemple, de nouvelles formules pour se déclarer l'amour », détournai-je la conversation. Je sortis à l'improviste un petit bloc-notes de mon sac à main et je fis semblant de lui montrer les autres répliques que j'avais notées là-dedans.

Ça lui donna du courage. Elle essaya de trouver la meilleure réplique que son petit copain lui avait susurrée pendant une de leurs séances amoureuses. Son effort était visible. Son beau visage était crispé par la peur de ne pas être à la hauteur du moment.

« Mon copain m'appelle sa reine. » Je retins un éclat de rire… « Mais parfois je ne le crois pas », ajouta-t-elle dans un court moment d'inspiration.

Heureusement. Cette petite discussion rendit la situation appétissante. J'avais envie d'aller plus loin. Son air de petit insecte virevolté dans la toile d'une grande araignée me poussa à continuer. On ressentait tous les deux, moi et Amran, le potentiel de ce début de conversation. Il s'amusait et prit la relève. Le petit copain a subitement disparu du paysage. Moi, j'étais la bouche de l'araignée, et Amran, quant à lui, la tenaille empoisonnée qui égorge et régurgite la proie. On dansait sur le même *libretto*. On était sur le point de découvrir de nouvelles recettes de cannibalisme. Une douce et protectrice façon de manger et d'interpeller. Dans nos plats, il y avait le gâteau au chocolat qu'elle nous a apporté, tout en écoutant attentivement le chant malicieux des sirènes. Ulysse n'est pas enchaîné au poteau. Il ne pense pas à Pénélope. S'il y avait réellement pensé, il n'aurait pas eu besoin de tant d'années pour retourner chez lui. Il l'avait carrément oubliée. L'ennuyante toile qu'elle prétendait tisser pour éloigner les courtisans lui faisait peur. Une fois rentré à la maison, il n'attendrait que la mort. Oublie les cyclopes, les femmes enchevêtrées, la grouillante mascarade aux portes de l'Hadès. Il retournerait à la maison pour retrouver la vieillesse et la décrépitude.

Amran prit la relève d'un air amusé :

« Venez avec nous à Chicago. On partira ce soir. On va prendre le train à la station Bonaventure. À votre retour, votre copain vous aimera davantage. Rien ne resplendit plus qu'une femme qui connaît la vie. Il inventera de nouvelles formules pour vous dire qu'il vous aime. »

La fille nous regarda d'un air éventré. On lui faisait peur. Elle ne dit rien.

« Prenez le temps d'y réfléchir », lui jeta à nouveau Amran.

Un sentiment d'angoisse s'insinua dans ses veines. Elle craignait d'être violée, découpée, démembrée, son cercueil envoyé par colis postal à ses parents, au fin fond de la province. L'histoire de Luca Magnotta doit lui être restée gravée dans la mémoire.

« Chez nous, ce genre d'histoire n'arrive jamais. On a beau être des experts en terrorisme, les psychopathes ne s'y trouvent point », me dit Amran.

La fille prit le temps d'y réfléchir. Elle se retira auprès de ses collègues de travail au coin de la boulangerie ; toutes parlaient visiblement de la proposition qu'on lui avait faite. Ça n'arrivait pas tous les jours ; un regard surpris et malicieux me répondit quand j'essayai de toucher sa main.

« Elle ne viendra jamais avec nous, me dit Amran.

– Si, si, tu verras. Il y a quelque chose chez les femmes que tu ne connais pas. »

En sortant, on s'embrassa longuement, en glissant tous les deux une main caressante sous le *t-shirt* de l'autre. La bouche grande ouverte. La langue – serpent dénichant les trois figures enlacées qui nous regardaient de loin.

La serveuse de Monkland fut la première partie de notre histoire.

On a longtemps parlé de cette serveuse. Elle n'avait rien de particulier, à part le fait qu'elle faisait dorénavant partie de notre histoire.

On ne l'a jamais revue, elle. Les filles passaient instantanément dans la pénombre de nos circuits amoureux. Est-ce que j'étais réellement attirée par les femmes ? Je ne pourrais pas le dire. C'est lui qui me donnait envie de tout refaire, de réécrire le scénario paresseux de toute rencontre amoureuse. Sa fantaisie érotique n'avait pas de limite. On regardait ensemble le dos des femmes dans la rue. « Qu'est-ce qu'on apprécie le plus chez vous, dans le corps d'une femme ? » « Les fesses, bien sûr. Tu vois à quel point nous aimons l'anal. » Je n'oublie pas que sa femme n'a pas les fesses rebondies, telles qu'il les aime. Elle a beau avoir les plus beaux seins au monde, tant que ses fesses ne feront pas le poids, je n'ai rien à craindre.

Quant à mes seins, il l'a dit au début de notre relation, qu'ils étaient en forme de poire et que seules les femmes de la partie de monde d'où je venais avaient les seins en forme de poire. Ici en Amérique, en France et en Afrique, on cueille plutôt des pommes. Toutes ces pommes et ces poires qui régurgitent sur la planète et qui hantent le sommeil des hommes occidentaux, berbères, asiatiques. À quoi pensent les hommes japonais ou chinois quand ils désirent le corps d'une femme ? Je ne me suis jamais posé la question. J'ai vu dernièrement sur Internet qu'une nouvelle pratique gagne de plus en plus en popularité au Japon. Les jeunes adolescents se lèchent le blanc des yeux. Curieuse pratique, aussi contagieuse que les maladies sexuellement transmissibles. Le sexe est une maladie qui s'attrape.

En plein milieu du sexe, on tombe sur l'amour et là, l'histoire change. Là, il m'écrivait des poèmes. Il avait rêvé de Montréal pendant dix ans de sa vie. Il avait tout fait pour se rapprocher de cette ville. Il avait tout prévu pour ne pas y être seul. Il s'était marié au mois de février, quelques mois à peine après son arrivée au Canada. Sa mère avait fait les offices. Un court message sur *Facebook* : « Il est marié. »

Il m'écrivait :

« Si on me demande de faire les louanges de l'amour, je ne vais pas réciter les poèmes de Shakespeare, mais je parlerai de toi

Si on me demande de faire les louanges de la sensualité, je ne vais pas réciter les vers de Baudelaire, mais je parlerai de ton corps

Si on me demande de faire les louanges du vin et de ses joies, je ne vais pas réciter les poèmes d'Abou Nouwace, mais je parlerai du goût de tes lèvres qui me fait quitter la terre ferme. »

Lui, qui n'aimait pas le vin. « Le sang du Christ, mon cul. Pourquoi pas le sang d'Amran le crucifié ?

– Tous les symboles religieux sont de la merde, lui avais-je rétorqué du tac au tac. Tant qu'ils rapprochent, ça va, mais la plupart du temps, ils séparent. Il n'y a rien de plus dégoûtant que la viande de porc et le sang du Christ. »

On s'est mis d'accord. À chaque fois que je m'en prends à ses symboles, religieux ou pas, il se tait.

La discussion sur le sang du Christ et sur la viande de porc avait suivi une autre, sur le droit de Dieu de regarder les chattes des humaines.

Mois du carême, un an après notre rencontre. Lui, plus confus que jamais. Déraciné, perdu, les peines d'amour ruinant sa santé. Il aimerait tellement jeûner, se reconnecter à la source, faire partie de cette immense famille qui lui tient lieu de sang et de vie. Mais il ne peut pas. Il a essayé deux jours et il a choppé une hyperglycémie atroce. Il a failli s'évanouir.

« Tu sais que pour chaque jour où je ne jeûne pas, je devrais payer soixante jours d'abstinence supplémentaires. Imagine toutes ces années depuis que je ne jeûne plus. Je ne devrais plus jamais toucher à la nourriture et plus jamais me réjouir d'une femme jusqu'à la fin de ma vie. » Il sourit, mais dans son sourire passe une onde sismique de tristesse.

Il reprend : « Ainsi se passe-t-il si tu mouilles en bas. Le jeûne que tu t'es acharné à respecter n'a plus aucun sens. Il faut que tu reprennes absolument tout, sans exception. » Il me regarde méfiant : « Tu ne crois pas à ça, n'est-ce pas ? » « Oui, je crois en Dieu, mais la seule chose qui m'embête est le fait qu'il a le droit de regarder droit dans les chattes des humaines. Ça, je ne peux en aucun cas l'accepter. »

Comme à chaque fois que je profère ce genre de remarques, il est tiraillé entre l'envie de rire et celle de me gifler. Et comme à chaque fois, il se tait, il laisse passer, il tourne ses yeux ailleurs.

Ça, ce sont nos conversations dernièrement. Mais avant, au début, il y avait d'autres mots. Il n'y avait pas de symboles, religieux ou pas. Il n'y avait qu'une voix qui s'exprimait à tort et à travers, qui traversait les maladresses et les clichés.

« Mon cœur s'est transformé en une bête sauvage, car je n'ai pu te voir aujourd'hui
il est en train de défoncer ma cage thoracique
je ne cesse de penser à toi, à ta voix, à tes cheveux.
tout en toi m'arrache le cœur. »

Dans ces moments-là, il stoppait les conversations avec sa mère. Et avec sa femme.

J'aimais ces mots ; j'adorais ces mots. J'adorais la lucidité. Mais j'adorais surtout ces clichés.

Je lui écrivais :

« Mon cher Berbère, j'ai regardé sur Internet des images de ta ville natale ; elle est belle, la mer et les montagnes…
J'irai un jour voir cette ville en pensant à toi. »

J'ai dit aussi à Armand, le Français, le père de mon garçon : j'irai un jour voir la Corse, puisque cette île était l'endroit qu'il aimait le plus au monde ; mais je ne l'ai jamais fait.

« T'avoir dans ma vie à ce moment est comme un
verre de vin après la traversée du désert
dans l'espace, si on n'avait pas de corps célestes pour
refléter la lumière du soleil, tout serait englouti par la
blancheur.
tu es comme un bel astre qui me permet de voir
je ne cesse de me demander d'où tu viens.
il y a deux semaines, je ne savais même pas que tu
existes. »

Pourquoi, à chaque fois qu'on tombe amoureux, a-t-
on en tête le voyage, la route, la guerre, le désert ?

Il me répondait : « Je ne fais que t'attendre, je me
demande comment j'ai pu vivre sans toi jusqu'à présent ?
Je veux défendre ton corps et ton cœur comme un
royaume qui se renouvelle sans cesse. Je t'aime bébé. »

Je n'avais pas encore envoyé mon livre. J'étais encore
le futur prix Goncourt.

Je lui demandais de me raconter la chose la plus
insensée qui lui passait par la tête. Je voulais qu'il me
dise des bêtises.

« Là, je ne pense qu'à une chose, partir avec toi dans
un pays où on ne connaît personne
et on passera le reste de notre vie
collés l'un à l'autre à faire l'amour
et à chaque fois je te ferai le coup du *résiste*
je ne pense qu'à être avec toi. »

Armand aussi voulait qu'on aille dans une île au fin
fond du Pacifique, et qu'on reste collés l'un à l'autre
jusqu'à la fin de nos jours. Armand est parti à New
York. J'ai perdu sa trace. Moi, je suis à Montréal avec
son fils de cinq ans.

Le début. Encore une fois le début. De toutes les histoires, je n'aimerais garder que le début. L'éblouissement, l'obnubilation, la mort, l'arrêt cardiaque. Rien d'autre. Quand il faut agir, on est toujours en échec. Et pourtant, il faut agir. C'est ça qui reste.

Je lui écrivais :

« Tout ce que tu fais me donne envie de lever l'ancre et de partir au large du monde.
j'ai peur de t'avouer combien je t'aime, combien tu me manques
j'ai passé plusieurs fois à côté
cette fois-ci je me suis arrêtée.
ta tendresse, ta curiosité, ton désir.
je me suis arrêtée en silence et j'ai vu qu'il m'était impossible de continuer sans toi.
ton désir de percer dans le monde de l'avenir.
notre enfant – que nous aimerions avoir, malgré les circonstances.
ta jeunesse et ton amour pour ce pays – *aka nada.* »

Il était amoureux du Canada. C'était le rêve de sa vie.

C'est là que le premier scénario, celui de la serveuse, intervint :

« Le scénario – on ira sur Monkland et on se mettra d'accord sur le type de femme qui nous convient, à tous les deux. Mais on fera ça une seule fois, d'accord ? Après tu reviendras à moi. »

Sa réponse : « Tu es le plus beau des rêves, bébé. Tu sais très bien que je suis à toi. »

Le scénario avec la serveuse de Monkland n'aboutit à rien. On n'était pas encore prêts. On ne savait pas comment faire le passage à l'acte, comment pousser la limite un pas de plus. On se sentait comme des barbares, dans notre insouciance et notre désir de tout explorer : tous les orifices, les tabous et les formules du désir. Une fois, il avait lu un livre, *Le livre de l'amant parfait*, où il était affirmé que le meilleur amour serait l'amour maghrébin parce qu'il est celui qui explore tous les orifices de la femme. Mais bizarrement, il n'explore jamais ceux de sa propre femme. Il y a une douleur profonde au cœur de l'amour arabe, j'ai découvert, une contradiction véhémente, mais j'ai peur de trop m'avancer. Qu'est-ce que je connais de tout cela ? Comment pourrais-je juger d'une réalité qui m'est tellement inconnue ? Je la connais exclusivement à travers ses témoignages : une Marocaine, amie à lui, qui lui avoue que si elle n'avait pas ses deux filles à élever, elle quitterait sur-le-champ son mari. Dès que l'homme arabe se marie, se plaint-elle, il oublie carrément de faire l'amour à sa femme. Il a beau faire l'amour passionnément à toutes les filles de l'univers, sa femme vient en dernier. Une femme mariée est en état de virginité permanente. Elle passe de l'état de virginité imposée à l'état de virginité consentie.

« Moi, je vois les choses différemment », lui avais-je répondu. Il n'était pas trop convaincu de la justesse de mes propos. « Pour vous, le mariage vient subitement avec toutes les pesanteurs de la responsabilité : des meubles, des dettes, la maison, le gazon, le chien, l'enfant. Ça tue l'amour. On assume, c'est ton mot d'ordre.

– Arrête de prétendre que tu connais tout de moi. »

Je ne connais rien de lui.

Mais je vois. Et ce que je vois exclut l'imprévisible. Je suis juchée sur le dos du dernier diable, celui qui sait l'avenir, celui qui voit jusqu'aux tréfonds du temps, et je vois sa descendance, sa maison excédentaire, le placenta de sa femme délivrant enfant après enfant ; ses cartes de crédit se vidant et se remplissant de sable, les vagues du désert dont je rêvais au début, envahissant son territoire montréalais ; année après année, en passant de l'édifice en brique de Monkland vers les immeubles en verre et en acier du Centre-Ville, les vacances sur les plages de Santa-Monica, là où son idole avait pris sa retraite.

« Je serai une ombre sans toi. J'errerai d'un boulot à l'autre, d'une maison à l'autre. Je ne peux pas vivre sans toi. C'est impossible. »

Ça, c'était à l'époque où il étouffait après deux heures sans nouvelle de ma part.

Mon beau Berbère. C'est comme ça que je le voyais au début. Dès mon arrivée au Canada, j'avais écrit des petits textes sur les « gens dangereux ». Je ne les appelais pas « d'immigrants » ; l'immigration ne m'intéressait pas particulièrement. J'avais écrit sur la Terre promise. Avec lui, j'avais l'impression de partager cette condition malheureuse. Sauf qu'on avait des définitions différentes du malheur.

D'une part la Communauté européenne. D'autre part, l'Amérique, qui essaie de changer tout en Amérique. D'une part, l'Europe avec ses peurs des invasions externes ; d'autre part, les envahisseurs, qui réclament leur droit d'appartenir à l'Europe, même si l'Europe ne les veut pas. D'une part, la Terre qui tourne d'ouest en est. D'autre part, les vagues migratoires qui bouleversent l'avancée de la planète ; leurs peurs, leurs langues balbutiantes, leurs rêves déchus, leur exil. Un héritage émouvant.

J'étais la gardienne de ses peurs. La femme qui guettait sa solitude. Celle qui faisait les offices d'accueil pour la vierge qui débarquerait dans quelque temps.

Je l'attendais sur Monkland. Chaque jour après son travail. Il faisait la bise à de petites femmes qui lui demandaient son numéro de téléphone. C'est là qu'il avait rencontré la Québécoise. Il aimait les femmes mûres. La Québécoise était une femme mûre et elle avait du style. Elle était pianiste et préparait minutieusement ses concerts. Elle l'avait accueilli toute nue dans son appartement avec vue sur le cimetière. Juste un petit dessus transparent. Ça l'avait excité, mais aussi repoussé. Il y avait surtout un détail génétique qui lui donnait des frissons. C'est la raison pour laquelle, pensait-il, ils ont tellement joui ensemble. Depuis sa vingtaine, elle avait développé des cheveux gris qu'elle ne colorait pas, malgré les conseils de ses meilleures amies. Elle ne le voulait pas, tout simplement. C'est précisément à travers ce détail qu'elle attirait les meilleurs mâles, ceux qui la mettaient en état de transe et lui donnaient des orgasmes fontaine. Elle était une femme fontaine. Il ne croyait pas à l'existence de ce phénomène, découvert sur les sites pornos. Il se disait que c'était truqué, comme tous les jets qui explosent, comme toutes les bites endurcies pendant des heures et les femmes qui prennent des coups à longueur de journée sans se relever de cette passivité balbutiante, qu'il adorait. En chaque femme, il y a un monstre qui attend d'être dompté. En chaque femme, il y a une fontaine qui attend d'être déverrouillée. « Ça fait des années que je n'ai eu un orgasme aussi intense », disait-elle. Et la fontaine se mit à régurgiter, à déverser ses flots de cheveux gris sur le plancher. Le liquide s'insinua jusque sous le piano ; qu'elle manœuvra d'une seule main, l'autre agrippée sur la chaise, pendant qu'il la pénétrait de plus en plus violemment en la tirant par les cheveux, en lui appliquant des claques sur les fesses qu'il ouvrait en enfonçant ses doigts jusqu'au bout de son vagin et de son anus. Il mit sa main en entier dans son vagin ; la femme cria : « Arrête, je n'ai pas encore d'enfant. Ne déchire pas mon col utérin. » Il ne s'arrêta pas, le sexe n'a rien à voir avec la procréation. « Soit tu acceptes qu'on le fasse comme ça, soit on s'arrête. » Elle accepta. Il adorait sortir sa bite de son anus s'ouvrant comme une fleur carnivore. Il le garda ouvert pendant longtemps. Il en prit des photos et les étala tout à coup sur le piano. Le jet d'eau qui explosa du vagin de la femme lui couvrit le visage. Il la retourna. Maintenant vint le coup du « résiste ». Sa bouche ouverte, ses yeux effrayés, la femme retint dans sa gorge le pénis enflé. Elle ne suffoqua pas. Le pénis lui atteignit l'estomac, mais elle ne pipait mot. Elle eut un geste de recul, mais il enfonça son pénis davantage. Résiste. La femme résista. Lui aussi. Quand il retira sa queue géante de la gorge de la femme, elle poussa un cri, une respiration assourdissante par laquelle elle revint à la vie. Un pas de plus et c'était la mort. Sur le plancher en bois franc, l'eau coulait comme un diluvium. La femme avait extorqué dans son orgasme toute l'eau que son corps avait en lui. Elle s'allongea sur le piano, peignit ses beaux cheveux gris et se fit réhydrater par des litres et des litres d'eau fraîche. Il nettoya le plancher, finit tout le papier-essuie qu'il avait trouvé dans la maison et revint enfiler ses doigts dans le vagin ouvert de la femme. La sonate recommença.

« On croirait, à la fin d'un tel festin charnel, que tu ne te détacherais jamais du corps de la femme qui t'a fait jouir autant.

– Non, je ne ressentais rien pour elle, à part ce désir de la réduire en cendres. Je la voyais jouir et elle était comme sur une autre planète. Je lui ai jeté, à la fin : ça t'a plu, salope ? Ça l'a complètement refroidie. On s'est vus, je crois, pendant trois semaines ; après elle m'a demandé de prendre une décision – la spécialité des femmes ; elles te demandent toujours quelque chose. Soit on est ensemble, soit on renonce à nos festins érotiques. On s'est revus une seule fois sur Monkland. Elle est venue me parler. On s'est salués cordialement et ça y est. »

C'est la seule fois où je l'ai giflé. Ça m'est venu comme ça, sans trop y réfléchir. Il faisait un classement de ses performances sexuelles et il me disait qu'avec aucune femme il n'avait atteint ne serait-ce que la dixième partie de ce qu'il vivait avec moi. Peut-être avec la Québécoise avait-il atteint le tiers de ce plaisir.

« C'est quoi, le plaisir pour un homme ? lui demandai-je.

– Exprimer pleinement ses fantaisies érotiques, me répondit-il.

– Pourquoi ne pourrais-tu pas les exprimer avec n'importe quelle autre femme ?

– Tout simplement parce qu'après trois séances, je n'en ai plus envie. Je ne comprends pas comment c'est possible qu'avec toi, ça se renouvelle sans cesse. C'est comme si je ne t'avais jamais touchée auparavant. C'est comme si, à chaque fois, c'était la première. »

Il ne peut pas anticiper. Il ne peut pas prévoir. Il ne peut pas réfléchir. Il peut juste vider sa tête. Oublier. Accélérer sur la bande de course jusqu'à ce que son corps se vide de pensées et regagne l'état de grâce, celui où il se trouvait avec Aziz à l'époque de la chasse aux femmes.

« Il devra partir avec l'odeur de ta peau sur ses lèvres, me disait Ava pour me rassurer. Réprime ta douleur, oublie les promesses et les mots, oublie tout. Garde comme seule arme ce qui nous tient en vie, nous, les femmes. Plus les hommes sont passionnels, plus ils se fient à leurs sens. Il faut qu'il parte avec l'odeur de tes seins comme unique bagage. Ça éclatera en miettes leurs arrangements prénuptiaux, les conseils du frère, la loyauté de la belle-famille et la virginité de la femme.

– C'est comme si on s'était déclaré la guerre, répondais-je à Ava. Mais ce n'est pas du tout le cas.

– Oui, c'est le cas, souriait Ava. Tu lui as déclaré la guerre. Les cultures sont comme les organismes. Elles ont besoin d'une période de maturation. Jésus a un décalage de six siècles sur Mohamed. Le monde d'où il vient se retrouve donc maintenant à l'époque de l'Europe des croisades. Dent pour dent. Œil pour œil. Des hommes aveuglés par leur peur de la mort. Les hommes ont peur de la mort. Les femmes ont peur de vieillir. C'est une différence qui ne peut être rattrapée par aucune culture. »

J'ai vu récemment un ami à moi, écrivain tardif, qui a fait ses débuts à quatre-vingts ans en écrivant sur sa jeunesse passée dans les camps communistes. Il a remporté un succès fou ; il était devenu le héros de la résistance anticommuniste, le seul survivant d'une chasse à l'homme qui avait éparpillé des morts aux quatre coins du pays. Il était devenu immortel. À quatre-vingt-six ans, il avait fini son deuxième livre, qui a, lui aussi, remporté un énorme succès littéraire.

Il a parlé de la souffrance, mais d'une manière telle que les autres revivent dans leurs derniers retranchements ce que ça signifie, connaître l'humiliation et la faim. Il a décrit la faim comme nul autre. C'est une sensation qui dépasse toute imagination ; le déclencheur de toutes les réactions possibles. Là où l'homme se retrouve nu et blême devant les autres. Là où il s'identifie à son bourreau. Seuls ceux qui ont réussi à s'identifier à leurs bourreaux ont échappé belle. Ceux qui ont détruit la haine dans leurs cœurs et qui ont réussi à regarder droit dans les yeux celui qui leur infligeait la peine capitale, qui les écorchait vifs, qui leur donnait des coups de bâton dans l'estomac. Les prisonniers priaient pour eux. Sinon, la haine les tuait avant même que le coup final arrive. Lui, il avait prié pour tous ceux qui affamaient sa chair et qui le traitaient de dernière ordure humaine. Il ne voulait pas mourir. Il avait tout compris alors que les hommes, surtout les hommes, font tout pour ne pas succomber à leur peur de la mort.

Cet écrivain, ami à moi, avait à quatre-vingt-six ans des projets pour les prochaines dix années de sa vie. Il connaissait la théorie selon laquelle si tu as réussi à t'en sortir jusque-là, si tu as réussi à contourner les cancers, les thrombophlébites, les infarctus, les prostates et les inflammations chroniques du colon, la période qui s'étend entre quatre-vingts et quatre-vingt-quinze ans est la plus fertile, à l'abri de la mort. Toute proche de la mort et en même temps aussi lointaine que le premier cri d'un bébé. Seulement cinq pour cent de ceux qui sont arrivés jusque-là succombent pendant la décennie d'or. C'est la fin du marathon. Le blanc. Le repas. Tout de suite après, la mort reprend sa course. Quatre-vingt-quinze pour cent de ceux qui sont restés en vie succombent au cours de l'année.

Malgré cette certitude, mon ami a dû arrêter ses projets. Sa femme était malade. Il est devenu femme de ménage. Le fait de ne pas pouvoir continuer son *magnum opus* le ronge. Il compte les jours qui l'approchent de sa fin et les jours qui sont soustraits à son travail. Il se demande quand est-ce que tout cela finira, je veux dire, l'agonie de sa femme. Il se demande s'il pourrait vivre avec une autre femme, s'il pourrait remplacer son épouse avec laquelle il avait vécu pendant cinquante ans. Il ne se demande jamais ce qui se passerait si lui, il devait en finir. Ça ne lui passe pas par la tête. Ou peut-être se pose-t-il la question différemment.

Peut-être que les hommes se posent la question différemment. Cons et intellectuels, raffinés et barbares, devant l'agonie de leurs femmes, ils attendent patiemment que tout finisse. Les hommes ont peur de la mort, les femmes ont peur de vieillir. Les femmes passent des années au chevet de la souffrance de leurs maris.

Comment expliquer autrement les guerres ? Les hommes se jettent dans la mort comme dans les bras de leur amante.

Et lui, il se jette dans le mariage comme dans la mort.

Mon homme, je l'ai vu comme celui qui apaisait mon désir de révolutions, de coups d'État, d'embuscades. À l'époque de notre rencontre, le printemps érable battait son plein. Je sortais dans les rues. Lui, était offusqué d'avoir perdu des mois et des mois à ne rien faire, tandis qu'il voulait obtenir son diplôme.

Je voulais sortir du monde occidental. Le monde occidental connaît la dépression. Je préférais le printemps arabe.

Je lui écrivais : « J'ai un ami qui prétend que la femme occidentale ne fait plus l'amour pour le plaisir. Je me dis que peut-être elle n'a pas rencontré l'homme capable de lui donner du plaisir et de jouir autant qu'elle. Moi, j'ai eu cette chance. »

Toujours Monkland. Une belle journée de printemps. Toujours à la chasse. Je l'attendais sur la terrasse *Second Cup*, à côté de son travail. Il sortait deux minutes pour me voir, ensuite il repartait. Ce désir par intermittence aiguisait tous nos sens. Son patron ne lui permettait pas de sortir. Il en était jaloux. Il ne faisait plus l'amour à sa femme depuis la naissance de leur petit bébé chinois qui avait de la peine à parler. Il voulait se séparer d'elle. Mais ils avaient monté des affaires ensemble. Un nouveau centre d'impression au centre-ville. Là, les paperasses se multipliaient. Ce n'était plus des paperasses sur les joues de Mona Lisa ou sur les voyages de Victor Pellerin, mais des paperasses non inflammables. Les vrais hommes, les hommes d'affaires, y venaient multiplier leurs profits et leur ascension. Y compris le frère d'Amran, qui avait déniché un beau boulot, à l'abri de toute incertitude. Après le travail, il se rendait directement à la maison où l'attendait sa femme, avide et impatiente. Les fins de semaine et les jours fériés, il amenait sa femme chez le coiffeur où elle passait deux heures avant de faire des achats dans les galeries d'Anjou ou de voir l'une de ses amies. Pour son anniversaire, son frère lui avait offert un grand livre de cuisine.

Avec son *t-shirt* moulé et ses muscles proéminents, Amran attirait la clientèle féminine sur Monkland. La soprane qui préparait un concert en Europe lui offrit sa carte de visite. Il ne l'a jamais contactée. Elle avait le nez trop long, me disait-il. L'étudiante espagnole qui se croyait le centre de la Voie lactée lui faisait aussi du charme. Il a perdu sa carte. Je l'ai retrouvée sous le pied du canapé après avoir fait l'amour, là où plus tard allaient finir le livre de son ami le dramaturge et bien plus tard mon livre à moi, celui où je lui avais offert en dédicace mon désir de voyager avec lui jusqu'à l'embouchure du grand fleuve Amur. Il avait peur du voyage. Du voyage, de la race jaune et des Juifs. Quand je lui demandais quelles étaient les raisons pour lesquelles il haïssait à tel point les Juifs, il me disait que le grand Dieudonné aurait affirmé dans un de ses sketchs que la Shoah ne pouvait en aucun cas justifier leur maudite réputation. La souffrance du peuple algérien surpasse en opprobre la souffrance du peuple juif. N'empêche que personne n'a jamais songé à faire du peuple algérien le martyre de l'histoire. En ce qui concerne le grand peuple chinois, c'était toujours le grand prophète Dieudonné qui disait que dans son enfance il avait attrapé la jaunisse et que depuis il ne pouvait plus regarder la race jaune dans ses yeux. Il voit du jaune partout et cela lui déclenche la jaunisse d'autrefois. Ce sont ces arguments historiques et métaphysiques en faveur des différences raciales. Son patron est chinois. Il ne s'achète jamais de chaussures dont le prix dépasse quinze dollars. Il est jaloux d'Amran, qui s'offre des chaussures de quatre-vingts dollars ; qui est libre de choisir ce qui lui plaît et qui n'est pas encore marié.

« Mes trois instances psychiques sont attirées par toi : le moi, le surmoi et le ça », me disait-il en souriant. On s'est embrassé, on a pris la voiture pour traverser le pont Champlain ; c'était la première fois qu'il le faisait. Il pleuvait. On écoutait Lhasa de Sela et il baissait le volume. Ce n'était pas son genre de musique. Il m'interrogeait sur mes amants tout en étant convaincu que j'avais voyagé à New York avec l'un d'eux.

« Tout en toi m'arrache le cœur, disait-il. Rien ne m'effraie. Tu es comme moi. Tout ou rien. »

Et moi, je voulais bouger avec lui, sans contrainte. Je l'aurais fait peut-être s'il n'y avait pas eu la voix de sa mère qui lui susurrait chaque semaine son devoir envers sa famille, ses frères, envers toutes les générations présentes et futures.

J'ai commencé à lui écrire. Il ne voulait pas déménager chez moi ; il n'était pas prêt à devenir le père de mon fils ; moi, je ne pouvais pas déménager chez lui, son deux et demi était trop étroit pour une vie de famille. Mais largement suffisant pour nos ébats amoureux.

Je lui écrivais :

« J'aurais aimé que tu sois avec moi partout où j'ai été – en Normandie, à Rhodes, à La Nouvelle-Orléans, en Californie.
j'aimerais voyager avec toi – voir le désert américain et celui de l'Afrique.
prendre le transsibérien,

faire l'amour dans le train, dans la voiture,
directement sur terre,
dans des chambres d'hôtel luxueuses,
qui garderaient notre odeur pour une seule nuit
en achetant dans chaque ville de nouvelles robes –
que je mettrais une seule fois, – le temps pour toi de
me faire l'amour
et les jetterais après
on regarderait partout des filles – sauvages, sages,
sophistiquées
et des hommes – des éphèbes élancés et des bêtes,
des conquérants et des artistes.
on écoutera de la musique – vulgaire, réactionnaire.
tu m'apprendras le goût de l'avenir,
je t'apprendrai vingt langues différentes – la langue
de la passion, de la désobéissance, un anglais éclaté,
le français avec de l'accent slave ;
on goûtera à tout
voici la chair de notre amour. »

Je luis parlais de femmes. De révolutions. À vrai dire,
j'étais juste curieuse de voir comment il comprenait les
deux. D'après moi, elles étaient liées ensemble.
Définitivement. Je voulais connaître le tunnel de chair
qui l'avait amené jusqu'à moi. Et aussi, son potentiel
guerrier, son anarchisme et sa révolte. Je ne savais pas à
l'époque qu'il était plutôt du côté de la résistance, qu'il
ne croyait pas dans les révolutions, qu'il considérait le
printemps arabe comme une dérision censée installer
encore plus sauvagement la domination du fanatisme
religieux. Je ne savais pas non plus qu'il y avait quelques
beaux clichés auxquels il s'accrochait ; qu'il méditait
autrement. Il méditait en se vidant et en invoquant les
têtes d'affiche d'un savoir existentiel impénétrable : la

beauté et l'abnégation de la femme kabyle, sur les épaules de laquelle est bâtie l'indépendance de son pays. Parmi toutes les têtes voilées de ses congénères, la femme kabyle arbore une parure en argent ; sa valeur est sans conteste.

La deuxième tête d'affiche était les paroles prophétiques de Dieudonné : question de Juifs, marmonnement de jaunisse, auto-ironie ou dérision de la banque mondiale. Dominique Strauss-Kahn devant la nation, les deux pattes croisées, le regard louche. Tout le monde attend la grande révélation. La voix de la vérité s'exprime enfin. Il garde le silence. Il dit : « Je vous encule en fourchette. » Aucun commentaire. Aucun adagio.

La voix de la raison.

Et une autre voix. Celle de Marc Levy. Ses livres, il les a tous lus.

Levy est aussi dangereux que son image de la supériorité de la femme kabyle. Il est dangereux parce qu'il donne l'illusion que la vie se déroule dans un couloir parsemé d'hécatombes réversibles. *Toutes les choses qu'on ne s'est pas dites.* Quel scénario rassurant ! Rien ne disparaît dans le néant. L'amour vaincra tout. Vingt ans d'absences. Des malentendus qui suffisent à transformer toute vie en un tombeau – effacés. Un beau jour, les deux personnages dont l'amour est plus fort que la vie et la mort se retrouvent. Ils sont pris, chacun d'eux, dans leurs relations respectives – la femme à New York, l'homme entre Berlin et Rome ; n'empêche qu'ils sont capables de refaire leur vie. Ils passent une nuit ensemble. Le destin se profile majestueux à leur porte. Ils ne vont plus jamais se séparer. Ne plus jamais se perdre. Ils atterrissent l'un dans les bras de l'autre et la boucle est bouclée. Aucun châtiment, aucune morale. Des signes partout – l'homme qui porte, gravé sur sa lèvre supérieure, le pacte du silence. Ou le jeune qui est capable de voler les ombres des mortels ; de les enchevêtrer, d'entremêler leurs histoires et leur parcours.

Je ne sais même pas ce qui était le plus bizarre chez lui – ses superstitions, son mythe de la femme kabyle ou bien les romances de Marc Levy, sur le libretto desquels il fabriquait ses scénarios ? Des scénarios capables de traverser la vie sans aucun poids, sans difficulté. C'était la logique du Berbère : quand une femme lui posait problème, il la quittait. À la fin de son périple l'attendait la belle dame des neiges, comme il l'appelait, la ville de Montréal dont il avait rêvé dix années de sa vie ; et Marc Levy lui servait de panacée. « J'imagine bébé une belle soirée de mai à la gare de Rennes, et toi descendant du train, après tes cours de danse ; ton ombre profilée sur le quai de la gare me donne la chair de poule. » Un autre scénario : « Après l'arrivée de ma femme ici à Montréal, je viendrai te chercher. Sans faute. Si jamais elle le découvre, je lui ferai comprendre qu'elle doit l'accepter ; sinon, elle peut dégager. Je pourrais tuer pour toi mon amour, tu le sais ? » La faute à Marc Levy. Tout est possible. C'est mieux encore que dans *Second life*. Inutile de s'évader dans une réalité virtuelle. On reste sur place, immobile, et le destin se déverse impétueusement, en surabondance. « Mille vierges, tu sais ? C'est ça la récompense d'une vie dédiée à honorer Dieu, à écouter ses préceptes et à ne pas bander lors du mois de carême. » « Et aux pauvres femmes, qu'est-ce qu'on promet pour pallier leur vie de sacrifice et d'abnégation ? » « Le plus beau de tous les hommes. » Je comprends. Entre Marc Levy et le Coran, la vie est belle. Si au moins Marc Levy n'était pas juif. Dieudonné aurait cligné de son œil droit en apercevant cette infâme trahison. Quelqu'un qui négocie sa souffrance comme une marchandise n'a aucune dignité.

Le problème est facile à trancher : soit tu acceptes, soit je te fous dehors.

Moi, je voulais lui apprendre le scénario de *Thelma et Louise*.

Louise Sawyer : *You've always been crazy, this is just the first chance you've had to express yourself.*

Thelma : *I don't ever remember feeling this awake. Well, I've always believed that if done properly, armed robbery doesn't have to be an unpleasant experience.*

Ce que j'ai aimé le plus c'était la réplique du mari, qui donne l'aperçu de toute leur foutue relation. Moi, je ne voulais pas faire d'Amran mon mari. Je voulais connaître des choses inouïes avec lui. Lui non plus, il ne voulait pas faire de moi sa femme. Sa femme l'attendait au bled et c'était plus que suffisant.

Louise : *Now if you think he knows anything, hang up the phone, because the line will be tapped.* Thelma [*dials the number*].

Darryl : [*Exchanges looks with police, then answers phone*] *Hello?*
Thelma : *Hey Darryl, it's me.*

Darryl : [*with forced cheer*] *Hey there, Thelma!*

Thelma : [*Hangs up*] *He knows.*

Conclusion sans faille. Tout comme sa réponse, alors que je lui ai demandé :

« Quelle est ta plus grande peur ? »

Et lui de me répondre :

« Ma plus grande peur est de vivre la fin du monde – si je suis appelé à la vivre – loin de ma mère. » Perplexité.

« Elle sait combien tu l'aimes ?

– Oui, mais pas assez pour une mère. »

C'est le sceau de notre histoire. Pas assez pour une mère.

Pourquoi lui ? m'a-t-il demandé une fois.

« Parce que tu es beau, passionné et jeune
parce que tu te retires alors que les autres se bousculent
tu attends et tu observes
parce que je vois en toi un destin
aussi parce que tu es un Berbère, pourquoi pas ?
que tu viens d'un monde inconnu
parce que tu es libre – j'adore cette liberté en toi. »

« Mon amour, je sais déjà que cette passion me renversera la vie, le cœur et le corps
et toutefois, je ne peux m'empêcher de marcher à tes côtés.
je sais qu'elle balaiera tout.
et toutefois, j'avance comme si j'étais prise par la main de Dieu. »

J'étais amoureuse. Mais en même temps je voulais m'installer dans son regard, celui avec lequel il avait scruté toutes les femmes qu'il avait connues auparavant. Je voulais être courageuse, excentrique, sage, protectrice – pour qu'il puisse oublier et sa femme et sa mère. Je n'étais pas la première à avoir tenté le diable.

« Tu ne m'oublieras pas même si tu as mille vierges.

Je suis ta mémoire. »

Mille vierges – c'est le cadeau que reçoit le pratiquant après la mort. Mille vierges sans visage. Quel homme ne succomberait pas à une telle promesse ? Ils s'y dirigent avec peur et appréhension. Qu'est-ce qu'une femme occidentale peut leur offrir en échange ? Une femme libérée. Ça donne envie de défoncer et de dégager. Rien de plus.

La Franco-Canadienne, qu'il avait rencontrée en France, avait elle aussi tenté sa chance. Sans beaucoup de succès d'ailleurs. La débauche, c'est l'affaire d'une soirée. La virginité, celle d'une vie entière.

Belle, mince, l'abdomen plat, longues courbes rectilignes, cernes bleuâtres, foulards Armani, chaussures Gucci, sacs Versace. Elle travaillait dans la mode. Designer, vendeuse – on ne savait pas précisément. Elle était née au Canada, mais vivait depuis longtemps en France. La bête algérienne, c'était sa grande conquête. Mais elle avait des défauts. Graves. Au nombre de trois. Défauts fatals.

Elle n'aimait pas la lumière. Comme toutes les femmes occidentales, elle ne se trouvait jamais assez mince pour être vue à l'état naturel. Son corps la dégoûtait. Comment aurait-elle pu le mettre sous la loupe d'un tel homme ? Aussi faisait-elle toujours l'obscurité. Elle créait le mystère. Mais elle ne savait pas qu'aucun mystère ne se compare au mystère d'un corps intouchable, pour lequel les hommes sont capables de sacrifier amour et fortune. Lui, il adorait regarder les parties intimes de la femme, ses poils, ses ondes de graisse, ses secouements pendant qu'il lui faisait l'amour. Ne pas se laisser regarder diminuait sa libido de moitié.

Son deuxième défaut était qu'elle ne se laissait pas entièrement faire. D'ailleurs, m'a-t-il avoué, peu de femmes se laissent réellement faire. Plonger dans son propre corps, c'est plus difficile que toute la sagesse du monde, que le meilleur concert classique, que le comble de la méditation yoga. Il n'avait jamais pratiqué le yoga. Il n'est jamais entré dans une salle de concert.

Elle avait encore un autre défaut. Elle n'expérimentait jamais en matière de sexe. Ni en d'autres matières, d'ailleurs. La mode lui dictait tout. Cela lui suffisait. Elle se couchait sur le dos et attendait qu'on lui offre de la jouissance comme un hommage à sa beauté. Elle n'acceptait pas de se rabaisser, de s'humilier, de s'oublier. Les sites pornos sont les fantasmes érotiques des mâles en souffrance. La femme réelle a de la personnalité. Elle les déçoit toujours. En levrette, ça ne la tentait pas. La Franco-Canadienne voulait qu'il la regarde dans les yeux pendant qu'il lui faisait l'amour. Mais lui, il ne voulait pas voir de visage. Les vierges n'ont pas de visage. Elles sont sages et défendues. Elle avait vu un film en vogue à l'époque de son enfance, *La guerre du feu*. C'est là qu'elle a compris que l'humanité a commencé par le feu, cela tout le monde le sait, on n'a même pas besoin de passer beaucoup d'années à l'école pour le savoir. Mais aussi par deux autres choses qu'elle n'a jamais entendues mentionner à l'école, dans l'éducation qu'elle a reçue : le rire et la position du missionnaire. Quand l'homme regarde sa femme pendant qu'il lui fait l'amour, quelque chose se met en marche dans son cerveau. « Oui, mais j'aime bien en levrette. Ça intensifie le plaisir. » La

Franco-Canadienne s'y opposait. Elle n'avait pas envie d'être retournée et regardée comme un simple objet de plaisir. Elle ne se trouvait pas assez mince pour qu'elle laisse un regard d'homme lascif s'attarder sur son dos. Elle lui recommandait de ne pas trop regarder les sites pornos. C'était fatigant. Il ne comprenait pas pourquoi, en dépit de son énorme désir érotique, il ne parvenait jamais à révéler ses performances sexuelles. Il y avait toujours quelque chose qui cloche.

Après trois semaines, voilà qu'il affronte la dernière épreuve : elle lui demande de tout laisser tomber, de se mettre en ménage avec elle, de ne plus partir au Canada ; d'oublier son Algérie, parce que ce pays est mal vu en France ; et de se mettre ensemble. Définitivement. Elle veut le couvrir de sa lingerie intime, de ses lampadaires sophistiqués, de ses parfums qu'elle vaporise en surabondance sur son sexe et sur son abdomen, de ses crèmes solaires, de ses lotions balsamiques, de ses fourrures Versace, mais lui, il a envie de faire l'amour à quelqu'un comme s'il le faisait pour la toute première fois. C'est ça qu'il veut.

Donc il laisse tout tomber. D'autant que le même scénario se reproduit toujours sans faute. Ils vont en boîte. Là-bas tout le monde la connaît. On leur donne un passe-partout. Elle est la reine du ring. Elle boit. Elle s'exhibe. Elle est regardée.

Le lendemain il la quitte. Il n'a pas envie d'une femme que tous les hommes ont eue. Il a envie que sa femme soit à lui. Rien qu'à lui.

Il l'a retrouvée par hasard quelques années plus tard sur Monkland, devant le *Première Moisson*. Elle rendait visite à son frère qui habitait à Montréal.

« Elle ne m'est plus apparue ni aussi belle, ni aussi sophistiquée. Et sa minceur, pour laquelle les hommes français l'applaudissaient, je la voyais soudain comme un signe de décrépitude. Moi, j'aime les fesses rebondies, les belles hanches. J'aime la vie. Viens avec moi. Je veux me montrer avec toi devant elle pour qu'elle voie à quel point j'ai évolué. »

Il voulait toujours se montrer avec quelque chose devant le monde. J'étais là sa petite conquête.

« Advienne que pourra, disait-il. J'ai tout de suite eu le souffle coupé quand je t'ai vue la première fois, j'étais suspendu au mouvement de tes lèvres. » Il m'apprenait sa langue. La langue de la tristesse d'Aït Menguelet : « *Hamlaghkem atas.* » « Je regarde la fenêtre, j'y ressuscite ton visage et la fenêtre tombe amoureuse de toi. Je sombre dans le vertige qui porte ton nom. »

Monkland. Sur. la terrasse du *Second Cup*. En regardant le coucher du soleil. C'est comme si le monde devait finir le lendemain. Panique et stupeur.

C'est bizarre à quel point c'est facile de pénétrer une nouvelle peau. Moi, dont le corps m'avait toujours servi de protection, j'ai commencé à me parer comme pour le boudoir d'une putain ; on cherchait ensemble de la lingerie intime au centre Rockland, du rose et du noir, couleurs que je n'avais jamais portées ; des jarretelles, des porte-jarretelles, des bas striés, découpés, déchirés, des trucs cochons dont l'existence ne m'était même pas connue. Mais plus bizarre encore, c'est que rien ne me paraissait vulgaire ou défendu.

Je sais que les orgies sont monnaie courante, que le sexe n'a plus de rigueur, plus de lenteur ; que tout se passe à une vitesse fulgurante ; que toutes ses prétendantes sur Monkland étaient les sacrifiées d'un monde qui n'impose plus d'alliances ; les hommes ne s'imposent donc plus d'obligation de baiser les laides et les vieilles. Elles vont dans le Sud ; elles n'ont pas de valeur sur le marché prétentieux des pays du Nord. Où le sexe est trouble et masochiste. Avoir du sexe ou se suicider, c'est à peu près la même chose.

Donc. Monkland, avant le coucher du soleil. Je l'attends sur la terrasse du *Second Cup*. La serveuse, vieillissante, donc hors regard, lui jette : « T'as pas de mauvais goûts, mon gars. »

Je souris. Je suis avec mon fils de cinq ans. Quelqu'un à côté s'insinue : « *Good-looking parents make good-looking children.* » Amran lui répond, sans trop y réfléchir : « Ce n'est pas mon fils. » Cela ne me fait aucun effet.

Il repart tout de suite après, son patron le remet à l'ordre. Ses paperasses l'attendent. Quand il ne fait pas attention, Amran sort, entrouvre la porte et me regarde. Me surveille. Ou les deux en même temps. Je ne sais pas encore faire la distinction. Son patron l'épie. Un de ses collègues lui a proposé de lui présenter sa sœur. Le Russe. Amran le déteste. Il travaille depuis dix ans au même endroit, entre et sort aux mêmes heures. Ça ne fait que huit mois qu'Amran est dans ce « trou », comme il l'appelle, et il a déjà négocié une augmentation de salaire.

En l'attendant sortir, je regarde les gens sur la terrasse. Toujours les mêmes. Les deux transsexuels qui éclatent de rire, qui parlent fort et qui me complimentent pour mon rouge à lèvres. Le dragueur invétéré dont les intentions sautent aux yeux ; sous la couverture de son portable, ses yeux défilent sans cesse : des filles de plus en plus jeunes, des mini-jupes de plus en plus courtes. La Hongroise qui fréquente cet endroit depuis des années, du mois de mai à fin octobre. Toujours sur son trente-et-un, elle se déplace, pressée, chaque matin, avec une grande sacoche en bandoulière comme si son avenir était en jeu. Quelques heures plus tard, je la retrouve imperturbablement sur la terrasse du *Second Cup*. À longueur de journée, elle plonge ses mains dans son énorme sacoche pour y retirer des CDs, des livres que, je parie, personne dans le quartier ne feuillette jamais. Peter Esterházy, Ingeborg Bachmann, Elfriede Jelinek – je ne peux m'empêcher de l'observer. Quant aux CDs, elle écoute Janacek, Bartók, Liszt ; elle ne regarde ni ne parle à personne. Elle inquiète mon fils qui ne réussit pas à attirer son regard, malgré tous ses efforts. Je ne parle pas à Amran de cette femme. Elle ne pourrait jamais devenir une proie. Notre proie. D'autant plus qu'Amran écoute Takfarinas et qu'il me raconte l'histoire de Richard Cœur de Lion, vue de l'autre côté de la barricade. J'essaie, moi aussi, de passer de l'autre côté de la barricade. Il n'y a rien qui m'en empêche. Je n'ai jamais pensé que les Juifs n'ont pas le droit à la reconnaissance de leur souffrance éternelle, mais cela ne me pose pas vraiment problème. Tant qu'on va ensemble dans les boutiques *La vie en rose* du centre-ville ou du centre Rockland et qu'on se met d'accord pour tenter la chance avec une autre femme, rien ne peut m'empêcher de passer de l'autre côté. Il y avait aussi d'autres éléments qui condimentaient cette complicité inouïe : je l'invitais à donner des conférences dans mes cours de danse. Je le présentais comme un expert mondialement reconnu sur les questions d'Éros et d'Agapè, en sagesse infuse et en dialogues interculturels. Les garçons ne pipaient mot. Les filles admiraient son torse bien profilé en dessous du *t-shirt*. À la fin du cours, il me disait : « Ma méthode à moi serait très simple : les laids à gauche, les beaux à droite, les filles devant, les garçons, les Juifs et les Noirs en arrière. » Je pouffais, intriguée. Il invoquait l'incontournable Dieudonné.

Ce jour du début mai sur la terrasse. Mon fils est pris à écouter un vieil homme en fauteuil roulant qui attend son taxi et qui lui raconte des histoires d'il y a un demi-siècle. Devant moi s'assoit une femme mince, dans la quarantaine. Une femme qui a définitivement connu son époque de gloire ; elle met sur la table un énorme bouquet de roses. Je la scrute ; elle me scrute. Mon regard a gagné en dangerosité depuis que je connais Amran ; il y a des choses qui peuvent arriver ; des choses peuvent se passer. Le temps devient frauduleux. Mon corps s'élance depuis qu'il me fait l'amour.

La femme épluche les tiges ; elle choisit les plus belles roses et les sépare des autres. Je lui demande à quoi ça sert de séparer les fleurs d'une telle manière.

« Je me rends au chevet d'un ami. Il est sur son lit de mort, à l'hôpital Saint-Mary. »

Curieusement, la mention du chevet de son ami aiguise ma curiosité. Amran m'avait avertie, après l'épisode raté avec la serveuse, qu'il nous fallait une femme mûre, avec beaucoup de vécu, qui n'avait pas peur de franchir le seuil.

La femme devant moi paraît correspondre à merveille à ce type.

Elle me regarde avec curiosité. Sa curiosité la met aux aguets. À ce moment-là, Amran sort de son « trou » et me fait signe. Il regarde la femme et comprend tout de suite. Il lève le pouce en l'air comme pour me dire d'accord.

J'apprends qu'elle est iranienne-allemande et qu'elle enseigne à l'université. Cela me refroidit un peu. L'anonymat est plus contagieux ; mais je me dis qu'une intellectuelle pourrait aussi être plus ouverte à de nouvelles expériences érotiques. Devant elle s'assoit un gros homme barbu, les pieds en sandales, Marocain ou Tunisien. Cela me met mal à l'aise, mais en même temps rend la situation encore plus excitante.

L'homme fait mine de ne rien entendre, mais son oreille est d'évidence collée à nos conversations qui touchent, inévitablement, à la soumission de la femme et aux peurs de l'homme.

Notre conclusion est sans faille : c'est la panique masculine qui fait de sa femme une esclave. « Une femme qui se sent bien dans sa peau, par exemple cette femme devant moi », dit Amélia (puisque c'est ainsi qu'elle s'appelait) en me montrant du doigt, « ne trahirait pas son homme à chaque coin de rue. Elle n'a pas besoin de se prouver sa force de séduction. Laissez aux femmes ce pouvoir, ajoute-t-elle, et elles sauraient s'imposer des limites là où vous ne pouvez même pas l'imaginer. »

L'homme est visiblement déconcerté. Il veut rester respectueux, mais la colère s'empare de lui.

« Non, rétorque-t-il presque en hurlant, je n'accepterais jamais que ma femme dévoile ses hanches, ses seins et ses jambes en pleine rue, comme une pute.

« – Vous voulez dire que toutes ces fillettes qui défilent devant nous sur Monkland par une belle journée de printemps sont des putes ? »

Amélia est rouge de rage. Elle est belle. Ils ont failli se sauter au cou, se griffer, s'entre-tuer.

C'est à ce moment qu'Amran sort ; que mon fils entre dans le café pour demander un verre d'eau. J'adore ces coïncidences. C'est à ce moment précis de *staccato* que je propose à Amélia de goûter aux délices d'un monde inconnu. De venir avec nous. Advienne que pourra. Le refrain d'Amran.

Elle reste bouche bée, époustouflée. Je déteste la psychologie et les *crescendos* imposés. Je crois à l'écartèlement et à l'éviscération de la proie. Amélia n'est pas ma proie. Elle est trop lucide et trop intelligente pour ne pas comprendre. Elle n'a pas peur de l'homme en sandales qui se lève en colère de la table, presque en renversant son café et nous quitte sans nous saluer. La preuve : devant lui, elle m'offre une de ses belles roses. Elle n'a peur de rien. C'est pourquoi, un instant, je ne comprends pas du tout qu'elle nous refuse. Tout de suite après je la vois. Une lueur dans son regard. Et je me dis qu'un jour j'aurai moi aussi cette lueur dans le regard. Je n'y ai jamais pensé. La panique, le ridicule, la peur de se dévoiler entièrement devant le regard d'un homme. Amélia dit non.

Elle m'embrasse longuement sur la bouche. Les transsexuels manquent de renverser leurs chaises. La Hongroise échappe un cri de surprise. Le dragueur sourit avec condescendance. Mon fils a le dos tourné. Il ne voit rien.

Amélia dit : « Partez maintenant. » Je prends mon fils ; je prends la main d'Amran et on s'éloigne ; on ne fait aucun commentaire. Notre complicité nous rapproche davantage.

Amran retourne au travail.

Plus tard je lui écris :

« Cette histoire qui se déroule sans cesse
qui se nourrit d'absences aussi bien que de présences,
avec des personnages bizarres,
ni amis, ni connaissances, ni famille.
le réel s'efface devant ce paysage éphémère.
la serveuse, la *Milla Jovovich*, la frigide dans la pizzéria,
celle qui écrit sur la démonologie, l'Iranienne-Allemande avec ses roses, le Marocain qui soutient la cause de la panique masculine, ton gérant chinois qui épie et se retire dès que tu lui fais signe,
le Belvédère que je n'arrive plus à retrouver.
la pluie à Atwater, sur le pont Champlain
et les paysages imaginaires
ton Algérie, le pays interdit
tes chants et ta langue
ce monde qui ne veut pas de nous
et que nous conquérons les mains avides, insatiables,
sans remords
on prendra tout.
on violera cette indifférence.
on frappera leur confort.
deux flammes au bord de l'abîme. »

C'était vrai. Je ne voulais pas le mettre à l'épreuve. Les épreuves n'ont aucun sens. Il n'y a que la vie qui a du sens.

Lui aussi, il avait découvert la vie avec moi. Et on la mordait à pleines dents. Moi, je riais à pleines dents. « Comment pourrais-je présenter à ma mère une femme avec un tel rire ? » Depuis longtemps, j'avais essayé de réfréner cette façon de rire. Je me disais qu'elle me mettait trop à nu, qu'elle m'exposait trop. Voici une raison de plus. Sa mère n'accepterait pour rien au monde qu'une femme de sa famille rie en montrant le fond de sa bouche. Je faisais partie de sa famille. J'adorais ses histoires. Ses superstitions. Les chansons d'Aït Menguelet.

Quand il était enfant, sa mère lui avait raconté qu'un jour, alors qu'elle se promenait toute seule au bord de la rivière, elle avait rencontré un bonhomme qui lui arrivait au-dessous du nombril. Un homme qui venait d'ailleurs. Un homme dont le visage était scellé par le signe de Dieu. Qui lui avait susurré des secrets qu'elle allait porter toute sa vie et qu'elle était tenue de ne pas dévoiler, faute de quoi elle allait être punie d'une manière atroce. Elle n'avait dévoilé ces secrets à personne, pas même à son plus jeune fils qui était la prunelle de ses yeux. C'était encore elle qui se trouvait au centre d'un rêve apocalyptique qu'avait fait Amran et qui lui avait définitivement donné la mesure de son amour pour elle.

C'était une belle journée d'été. Une de ces journées où le petit Amran avait senti, pour la première fois de sa vie d'ailleurs, qu'il était déchargé de toute pesanteur ; un sentiment qu'il ne connut jamais. Il vivait un miracle. Il était tellement maigrichon alors, qu'il aurait pu tomber à la première rafale. Ce miracle était dû à sa mère. Après la mort de son père, celle-ci s'était affolée. Jeune encore, elle s'était retrouvée seule avec quatre enfants. La

72

famine, l'huile d'olive, les dattes et le couscous lui tenaient place de religion. La grand-mère avait tout pris en charge jusqu'à ce que sa mère reprenne les rênes. Et quand elle a repris les rênes, elle a fait de ses fils ses hommes. Surtout d'Amran, qui a grandi collé à ses jupes. Elle est son air vital, le miracle qui a rendu possible sa vie, celle dont l'absence serait pire que la fin du monde. Quand il s'est décidé à partir en France, sa mère a failli s'évanouir. Elle ne lui a plus parlé pendant trois semaines. Plus tard, elle s'en est excusée, en ajoutant qu'elle l'attendrait jusqu'à la fin de ses jours.

Il avait encore rêvé de sa mère. Un cheval sauvage qui chevauchait les plaines ; un nuage géant qui couvrait son pays. Le pays se vidait et il n'y avait plus que sa mère qui arrivait en trombe devant le nuage qui confondait ciel et terre. Il aurait fracassé la main de Dieu, le tout-puissant, pour qu'il épargne sa mère. Loin d'être parfaite, sa parole était infaillible. Elle était venue une fois au Canada ; son frère l'avait accueillie, mais il ne l'avait pas assez honorée. Elle passait des jours entiers enfermée à la maison, en attendant que son fils aîné revienne du travail ; sa belle-fille non plus ne lui accordait pas assez d'attention. Elle s'ennuyait à longueur de journée. Amran en voulait à son frère. Après quatre mois, avant que son visa n'expire, son frère avait demandé à Amran d'acheter le billet du retour. Sans aucun commentaire. Air Algérie au centre-ville, à côté de McGill. La mère partit. Le cœur d'Amran se brisa. Aucune femme ne lui avait autant brisé le cœur.

Sa mère ne sait pas écrire. Amran doit lui préparer les formulaires de pension, de succession, les formulaires d'impôt. Sa mère est raciste. Dès qu'elle allume la télé et qu'elle voit une tête noire, elle s'exclame : « Mon Dieu, qu'ils sont laids, ces Noirs. » Elle adore les scènes de violence, se régale devant la justice qui prend le visage de Schwarzenegger ; elle connaît la vengeance, le silence et l'ingratitude. Elle a aussi le sens de l'humour. « Chez nous, elle dit, avant, il n'y avait que le jus d'orange. On était tellement pauvres qu'on ne connaissait qu'une seule sorte de jus. Après, plus tard, il y en a d'autres qui sont apparues. Mais le terme était à tel point dans l'usage commun que les gens continuaient à dire : *jus d'orange de pommes, jus d'orange d'abricots, jus d'orange d'orange.* »

Sa mère est intransigeante. Elle s'était exprimée une fois, à propos du président Bouteflika, qui depuis deux mois avait laissé le peuple algérien dans l'incertitude. Tout le monde supposait qu'il était mort, mais qu'il voulait encore régner sur son peuple, même depuis son absence éternelle. Sa mère s'était exprimée de manière tranchante : « Qu'est-ce qu'on peut attendre de quelqu'un qui n'a même pas été capable de se marier ? » Le mariage, c'était l'épreuve de feu.

La sœur d'Amran s'est mariée jeune ; elle a vite eu ses enfants ; dans la maison de sa belle-mère, elle a connu l'enfer. Pendant la nuit, sa belle-mère perçait des poupées de boue avec des aiguilles d'acier. Les petits entendaient des voix. Le mari de sa sœur était un fainéant. Après quelques années, elle est retournée chez sa mère avec ses enfants. Dix ans plus tard, elle a enfin obtenu le divorce. Elle ne voulait plus connaître d'homme. Ses vêtements noirs lui arrivaient jusqu'à la cheville. La religion lui tenait lieu d'homme.

La mère avait aussi imposé au deuxième frère d'Amran, le moment venu, qu'il prenne une vierge de son village. Il était déjà en relation avec une autre femme. Ils sont allés trop loin, d'après les dires d'Amran, mais malheureusement la fille n'était pas vierge. Tant pis, le fils devait s'en choisir une autre. Les deux familles ne se sont plus parlé depuis. La mère avait aussi averti son fils qui vivait en France qu'il n'aurait pas de chance avec une Française. Sa prophétie s'est accomplie. Son frère vivait maintenant avec une fille de chez eux. La première fois qu'Amran lui a rendu visite, son frère était en train de réparer le pied du lit qu'il avait brisé pendant leurs premiers ébats amoureux. Les choses semblaient enfin bien se passer.

Maintenant c'était le tour d'Amran. Au mois de février, quelques mois à peine après son arrivée au Canada, il avait fait une promesse de mariage à une fille de son village, dont il pensait être amoureux, qui était éprise de lui comme d'un dieu, et qui l'avait attendu pendant six ans. Son frère qui vivait en France lui avait conseillé de se marier avec une Française, mais dans la tête d'Amran, les deux choses ne pouvaient pas coller ensemble : avec les Françaises, il a connu le sexe, rien de plus, avec une fille de son village, il fondra une famille. Pas de négociation, pas de remords.

Est-ce qu'elle est belle ? Est-ce qu'il l'aime ? Est-ce qu'ils pourraient être heureux ? « Je ne sais pas, me disait-il. Comment pourrais-je le savoir ? Nous, on prend les filles comme des pastèques, sans savoir ce qui se trouve à l'intérieur. Si ça nous plaît, tant mieux. Si ça ne nous plaît pas, on assume. Aucun homme de chez moi n'a jamais brisé un tel pacte. Je veux dire, un vrai homme. S'il le fait, il est foutu. Il sera un paria pour le restant de ses jours. Il devra immigrer de nouveau. »

Le fait d'avoir choisi une fille de chez lui était une preuve d'honneur. Parmi les sports extrêmes pratiqués par les jeunes du pays était aussi celui de se marier avec de vieilles Françaises dans le but de s'évader de chez eux. Les cafés Internet étaient remplis de jeunes qui faisaient du charme à des vieilles larmoyantes à l'autre bout de la mer. C'est la raison pour laquelle il n'avait pas voulu qu'on se parle depuis les cafés, le temps qu'on a passé loin l'un de l'autre pendant ses vacances. Il préférait qu'on se parle par intermittence, car sa mère pouvait surgir par surprise à tout instant. Il ne voulait pas se mêler à la foule qui faisait la queue aux offices des vieilles Françaises mal baisées. « Les Français ont raison de nous haïr. Les purs-sangs arabes épousent leurs femmes dans le seul but d'obtenir leur résidence. Une fois arrivés en France, ils les quittent sans préavis et s'éclipsent dans les banlieues de Boulogne ou de Rochechouart. » Pendant que tous ces jeunes perdus célébraient leurs offices matrimoniaux dans les « soucoupes » des cafés Internet, lui, Amran, célébrait son mariage sous les yeux de tout son monde. Y compris de moi. Il célébrait son honneur. « Choisir, c'est un luxe, disait-il. Notre mot d'ordre c'est d'assumer. Tu ne peux pas comprendre bébé. J'ai rêvé de toi. Dans le village de mes ancêtres. À la mosquée. Là où j'ai vu la lumière du jour et là où j'ai grandi. Partout. Mais je dois me marier. Je ne peux pas briser ma promesse. Je ne peux pas faire une telle chose à ma mère. »

Revenons à sa mère. Elle était convaincue que les femmes, surtout les Marocaines, usaient de sorcelleries pour que les hommes ne s'éloignent plus jamais d'elles. Sa mère pouvait être également redoutable en matière de vengeance. Amran avait peur de cette vengeance. Il la connaissait par cœur.

À la mort de son père, sa mère avait été convoquée à Paris chez son oncle pour qui son père avait travaillé. Il l'a obligée à signer un acte par lequel elle acceptait que son argent passe sous la juridiction du seul homme de la famille, le frère de son mari décédé. Lui et sa femme formaient un couple sombre. « Tous les membres de ma famille ont d'ailleurs ce côté sombre », disait Amran. Ils n'avaient pas d'enfant parce que la femme avait vécu dans les maquis pendant la révolution et les guerres civiles, et tout le monde sait que de telles femmes courageuses ont servi d'instrument de plaisir à un bataillon d'hommes. « Dieu sait à combien d'hommes elle a servi de chair de décharge ; et combien d'avortements a-t-elle subis. N'empêche que mon oncle, dont la fierté est légendaire, l'a épousée. Elle lui avait sauvé la vie. Et maintenant le couple nébuleux voulait tout nous prendre. L'argent, l'avenir, tout. Ils voulaient s'occuper de l'éducation des trois garçons de la famille. Ils ont presque réussi avec mes deux frères aînés. On a connu la famine et l'humiliation. Ma mère n'a jamais voulu leur pardonner. Moi, j'ai essayé de les réconcilier dix ans plus tard, mais rien n'a réussi à convaincre ma mère à céder. C'était une période de cauchemar. La période où je devais finir mes études. C'était irrespirable. En souvenir de cette période noire, à chaque fois que je reviens de l'étranger, j'offre à ma mère un portefeuille de marque. C'est notre pacte du souvenir. On n'y repassera jamais. »

Sa mère ne sait pas écrire. Sa mère a des propos racistes. Sa mère rumine la vengeance. Elle connaît le secret des mariages, du bonheur de ses fils, de ses filles et de ses petits-enfants. Elle sait ce qu'on doit sacrifier. Elle s'est elle-même sacrifiée. Elle ne devra plus jamais être déçue.

Pour conquérir cette femme, j'aurais mis des jupes jusqu'aux chevilles, j'aurais fermé ma bouche pendant que je riais, j'aurais fait des enfants à Amran, j'aurais appris sa langue. Ce ne fut pas le cas.

Après son départ dans son pays, afin de retrouver sa mère et sa femme, deux mois à peine après notre rencontre, j'écrivais à Amran :

> « Cette fois-ci je ne ressens aucunement le poids du destin assombrir notre histoire
> cette fois-ci, j'ai moi aussi envie que ça dure infiniment
> malgré toute logique, malgré les évidences
> que je vole, mente, escroque et tue pour pouvoir te voir
> pour vivre cette histoire dans toute sa splendeur. »

Il me répondit : « Tu dois savoir que je suis tout à toi ; personne d'autre ne m'intéresse ; y a que toi toi toi. »

> « Je me souviens le pont Champlain et mon vertige qui grandissait à chaque instant,
> me disant que peut-être tu pourrais être celui que j'attendais, que je ne vivais pas un rêve,
> et le retour, moi qui te demandais de me laisser un peu de temps, même si j'étais déjà prête à tuer pour toi,
> toi qui avais peur que je puisse disparaître sans plus donner de signe.
> la nuit d'après, quand j'ai senti mon corps ensorcelé, hypnotisé, réveillé ;
> le premier jeudi, le métro jusqu'à toi,
> te voir m'attendant devant la porte. »

À présent qu'il ne m'appelle plus, j'ai même oublié qu'il y fut un temps où il ne pouvait pas laisser passer plus de deux heures sans entendre ma voix ; maintenant qu'il vit avec sa femme dans un petit appartement près du métro Jean-Talon, j'ai presque oublié que je me suis promenée avec lui à la recherche d'une maison que, j'imaginais, il préparait pour nous deux. C'est trop facile de dire qu'il attendait sa femme et qu'il essayait d'endormir mes soupçons. Non, la vérité c'est qu'il ne comprenait pas ce qui lui arrivait. Il n'était pas capable d'anticiper. Il n'était pas capable de faire un lien entre ce qu'il ressentait et les décisions qu'il devait prendre. Je crois qu'il considérait ce qu'il ressentait pour moi comme quelque chose de diabolique, qu'on devait tenir à l'écart. La vraie vie se déroulait ailleurs. C'est la raison pour laquelle je ne peux me défaire de cette impression d'avoir vécu un rêve. D'autant plus qu'on ne connaissait personne. Nos rencontres se sont déroulées dans un espace étroit où nous laissions libre-voie à toutes nos fantaisies érotiques ; dans de petits cafés, des centres commerciaux, des pubs où nous draguions les filles. Sinon, la plus grande partie de notre vie vacillait entre les allers-retours de la voiture, dans l'obscurité des parcs, devant les maisons des riches sur Westmount où une envie folle s'emparait de moi de prendre son organe entre mes lèvres et de l'entendre crier de plaisir. Ces scènes reviennent dans ma mémoire avec une intensité qui me fait oublier ses trahisons successives – la lettre d'invitation à sa femme le jour même où j'ai soutenu mon entrevue pour un poste en danse contemporaine à Lausanne. J'ai découvert la lettre d'invitation par hasard. Une petite négligence qui la lui avait fait oublier sur le canapé, là où on avait l'habitude de faire l'amour. Mais je vais parler de cette lettre plus tard. Rien qu'en pensant à elle, tout ce désir qui tâchait de se créer un monde à part me semble équivoque et grotesque.

Une soirée de printemps, je me suis arrêtée à la librairie *Port de tête* et j'ai commencé à feuilleter le roman *Infrarouge*. Là, une scène a frappé mon imagination. Je me souviens de m'être assise comme foudroyée par la stupeur dans un coin reculé, en imaginant le potentiel érotique d'une telle scène : le personnage principal, Rena, développe des clichés photographiques en infrarouge du visage de ses amoureux, pris au comble du plaisir. La tête penchée vers l'arrière, les yeux fermés, les muscles tendus, cet émouvant manque de regard que l'homme délivre dans son acte amoureux. Les sourcils contractés, le torse projeté sans défense sur les draps, le cou rallongé et exposé comme si l'homme attendait d'être tranché d'un seul trait. J'ai tout de suite aperçu l'énorme potentiel d'un tel instantané.

Le lendemain je lui en ai parlé. Il n'aimait pas trop l'idée. Mais ce qui le tentait tout de même c'était ce qu'il pouvait obtenir en échange. Des instantanés de sa passion amoureuse contre des instantanés de mes parties intimes exposées en pleine lumière. Il voulait filmer les mouvements de mon vagin engloutissant son organe ; mes fesses ondulant sous ses claques et ses gifles ; tant mieux, je me suis dit, si je dois accepter la pornographie en échange d'un éphémère instant d'art, je le ferais volontiers. C'était à l'époque où je sentais, pendant qu'il me faisait l'amour, qu'on pouvait me couper une main sans que je ne ressente rien.

On a donc commencé. Moi, à le photographier pendant que le plaisir s'emparait de lui – « C'est avec toi que j'ai connu le vrai orgasme bébé. Avant, ce n'était qu'une décharge électrique qui me vidait en entier. Avec toi, c'est tout le corps qui participe. » Lui, à me filmer dans des séances pornos. On commençait toujours par un petit strip-tease et on se déchaînait à la chasse de la mort. « Ça ne sera jamais pareil avec elle, j'en suis sûr. » Cette remarque me refroidissait à chaque fois. Moi, j'étais le démon noir qui était tenu à l'écart de sa famille, de sa communauté, de ses collègues de travail, de l'univers entier. Son avenir était scellé. La vierge exhibait ses trésors cachés pour lui promettre la paix, la sécurité et le respect. La colère s'emparait de moi, mais je me maîtrisais. Je me disais qu'une fois engloutis dans le gouffre du plaisir, les hommes ne désireraient plus ressentir un plaisir moins intense, une fiction moins incitante. Qu'ils ne pourraient jamais plus tramer un autre scénario. Je me trompais de toute évidence. Ils le peuvent, tant bien que mal. C'est pendant un de ces festins que l'idée de connaître sa Russe m'est venue sans droit d'appel.

Je pense que c'était la Russe qui avait le plus enflammé mon imagination. Il ne voulait pas l'appeler. Il en avait honte, je pense. Et plus il en avait honte, plus mon désir de la connaître grandissait. Elle l'appelait du temps à autre depuis un numéro caché, mais il ne lui répondait jamais. « Avec ce genre de femme, une fois c'est plus que suffisant. » Ils s'étaient rencontrés dans le métro. Ils étaient tous les deux debout et regardaient leurs reflets dans la vitre.

Elle se mit à sourire. Elle lui toucha la main. Elle lui posa la main sur la hanche. Ils continuèrent à se regarder dans la vitre. Le métro s'arrêta à plusieurs stations, mais la femme ne descendit pas. Vraisemblablement, elle allait descendre à la même station que lui. Elle ne dit rien. Lui, non plus. Elle le regarda avec plus d'insistance. Ils approchèrent de la station où il devait descendre. Il retira sa main. Elle n'hésita pas. Sa main ne trembla pas. Elle le suivit, en suçant doucement le bout de ses doigts. Ses talons aiguilles faisaient un clic-clac irritant sur le pavage. Elle portait une mini-jupe en cuir et une fourrure sous laquelle le décolleté pointait insolemment. Sa lèvre inférieure était immobile, due à un excès de *botox*, il imagine. Elle arborait des bijoux : de l'or, des stalactites, des stalagmites. Avec toutes ces microformations filiformes qui se détachaient d'elle : fourrure, cheveux, bijoux, jarretelles, sac à main, rouge à lèvres, mascara. Tout était en surabondance. Il n'a jamais eu une femme aussi vulgaire. Elle semblait être mariée. Elle était à l'aise pour se prendre des amants comme ça, à l'improviste, dans le métro. Il se laissa faire. Regarda derrière lui. La femme le suivait toujours. Elle ne lui adressa pas la parole. Elle monta chez lui. Aucun préliminaire. Elle souleva son manteau, se mit à quatre pattes et au bout de deux minutes commença à crier son contentement. Elle cria hystériquement, ce qui renforça son doute. Il se demanda si elle ressentait même le plaisir. Il regarda son visage. Dans une semaine il ne serait même pas sûr de l'avoir croisée dans la rue.

Elle revint une deuxième fois trois jours plus tard et répéta les mêmes gestes. Se mit à quatre pattes, cria hystériquement, les stalactites et les stalagmites se déployèrent en surabondance, lui demanda son nom. Elle dit juste : « Quel joli nom ! » Une troisième fois n'existerait pas. Il ne répondit plus au téléphone. Elle vint à la porte et frappa, larmoyante. Il ne lui ouvrit plus. Puis elle renonça.

Je lui ai demandé d'inviter cette femme. J'avais envie de la ligoter et de l'obliger à nous regarder pendant qu'on faisait l'amour. « Ça ne marchera pas avec elle. Elle n'acceptera pas le jeu. Elle ne connaît aucun jeu. Tout ce dont elle a besoin c'est, au bout de deux minutes, de se mettre à crier. Elle ne veut pas regarder. Elle veut agir. »

La Russe, avec ses bijoux de mauvaise qualité, avec ses dorures et son *botox*, a traversé plusieurs fois nos conversations. On l'a retrouvée plus tard par hasard. Un jour, avec une amie à elle, en prenant un café au *Bench & Co.* Dès qu'il me l'a montrée, j'ai imprimé ma signature sur les lèvres d'Amran. Les mains de la Russe tremblotaient. Une autre fois, le jour de notre séparation. Moi, j'étais en deuil. Elle était triomphante.

Zakynthos

Ces femmes me délivraient petit à petit. Le désir me faisait peur. Pour un court instant, il était devenu un autre homme. La soif de l'immortalité. La prise de conscience qui lui avait fait dire qu'il n'avait pas, de toute son existence, appris ne serait-ce que la dixième partie de ce qu'il avait appris avec moi, au long de cette année que nous avions partagée. Une façon de dire, une année. Il m'a appris en même temps l'amour et le renoncement, deux langues qui s'excluent réciproquement.

J'ai fait un long voyage en Europe, cet été-là. Je voulais qu'il se décide pour moi en pleine connaissance de cause. Le maudit libre arbitre. Mais il l'a très bien définie une fois, cette fameuse liberté de la femme occidentale : « Quand je pense à la liberté, il m'avait dit, je ne peux m'empêcher de voir ma sœur. Pour elle, la liberté veut dire pouvoir traverser la rue sans que personne ne se demande pourquoi elle n'est pas accompagnée d'un homme. Tous les hommes de ma famille sont partis. Il n'y a que les femmes qui sont restées. »

Moi, je croyais au libre arbitre. Mon absence serait plus forte que la présence. Sur son *iPhone* il y avait toujours l'image de sa mère à côté de celle de sa femme, dans une union infranchissable. « Tu ne pourras jamais t'approcher de ta femme, je lui disais. Ça sera comme si tu faisais l'amour à ta mère. » « Peut-être », me répondait-il.

Je voulais briser le pacte de ce peut-être. Et je devais agir vite. C'était ma première descente à Lausanne, là où j'espérais avoir mon entrevue pour un poste de professeure en danse contemporaine.

J'essayais par tous les moyens de m'habituer à l'image de cette femme qui était apparue dans ma vie. Les parties à trois que j'imaginais n'étaient rien d'autre que ce désir désespéré de pouvoir accepter, de pouvoir m'habituer à cette empreinte absurde de mon destin – quelque chose qui existait depuis toujours ; qui était là avant même que mes yeux ne se posent sur Amran ce jour de printemps où je suis venue imprimer mon chef d'œuvre sur Monkland.

J'essayais d'imaginer des scénarios fantasmagoriques avec maintes femmes afin de pouvoir ingérer cette présence concrète qui serait la chair de sa femme et leur vie ensemble ici, à Montréal. J'enseignais à mes étudiants en chorégraphie que celui qui prétend ne pas pouvoir choisir est soit un lâche, soit un salaud. Il ne me semblait être ni l'un ni l'autre. Le visage de l'amour, d'après lui, pendant les longues années où sa femme l'avait attendu, étaient les conversations *Skype*. Je voulais lui prouver que mon absence pourrait être aussi intense que ma présence. Il ne voulait pas renoncer à son projet. Il ne voulait pas se marier avec moi. Il voulait que j'écrive un livre. Il voulait que je le rende immortel. Et qu'il accomplisse en même temps sa mission.

Je n'étais pas la première à avoir écrit un livre sur lui. Il y avait aussi une petite Algérienne, à l'époque de son adolescence, qui l'avait épié pendant des mois sans qu'elle ait eu le courage de lui adresser la parole. C'était la fameuse période du *Moonwalk*, quand il attirait des cohues de femmes par le moindre secouement de ses fesses. Elle notait dans son journal de bord toutes ses apparitions intempestives, tous ses *t-shirts* et pantalons moulés, tous ses regards qui se posaient à son insu sur les joues empourprées de la petite vierge. Elle était laide. Personne ne s'intéressait à elle. Lui, il était son idole. C'était sa prière journalière, Amran dans ses apparitions fulgurantes.

S'il savait que j'allais écrire sur notre histoire, pourquoi n'a-t-il pas su préparer un entracte ou une sortie de secours plus spectaculaire ? « Même les pierres pleureraient à en écouter notre histoire », me disait-il. « Tu es sûr que tu ne peux rien faire ? », je lui demandais. « Je n'ai pas le choix mon bébé. Le choix est un luxe, me répétait-il. »

Le jour où je lui ai annoncé mon départ, il n'a pas eu de réaction. Sa réaction est venue plus tard. À part les discussions ayant comme objet l'entrevue qui potentiellement allait se dérouler quelques mois après, j'ai organisé un mois sur l'île Zakynthos où une amie, grande voyageuse, m'avait offert un boulot d'été. Le salaire n'était pas trop attirant, n'empêche que les pourboires étaient énormes. Je devais quand même m'occuper de l'avenir de mon garçon.

Il réagit en retard. Il était encore dans son modèle : défonce et dégage. Si la femme veut partir, tant mieux. Elle libère la voie à d'autres expériences érotiques. Je voulais tout accepter, afin de comprendre ce qui, pour une fois, pourrait empêcher un homme de plier bagage et de s'en aller. Je voulais être à l'écoute de ses prémonitions. De ses hontes. De ses peurs. Je voulais lui faire un enfant. Je ne lui ai pas dit que ma première et seule grossesse avait failli me coûter la vie. Une femme qui a une grossesse à problèmes est une honte.

Je jouais son rôle. Mais en même temps je jouais mon rôle. Ou bien le rôle que je découvrais en sa présence. Le rôle que je jouais pour lui. Un rôle dangereux, vu qu'il m'éloignait de ses idéaux en même temps qu'il m'approchait de ses désirs. On draguait les filles dans les centres d'achat. C'était surtout moi qui partais à l'attaque. Une belle Québécoise blonde surgit devant nous avec son sac *Tristan et l'Amérique.* Je lui jetai : « On a parié, vous savez, que vous veniez d'Amérique Latine. Est-ce que c'est vrai ? » La fille, déconcertée, ralluma le mince fil qui nous amena droit au pays des délices, en disant : « Non, je suis Québécoise, ça vous tente ? » Mais elle n'alla pas plus loin que ça. Je lui relançai : « On a aussi parié que vous aviez un tatou autour du nombril. Est-ce vrai ? Un tatou en forme de serpent ou de pomme. Moi, je dirais serpent, mon amoureux, il imagine une pomme. » La Québécoise commença à se moquer de nous : « Fichez le camp, vous jouez les ados. Vous devriez avoir des enfants. » « On en a trois. » « Tant pis. Racontez vos histoires de tatouages la nuit d'Halloween. Je n'encaisse pas cette friponnerie. Allez voir les sites de rencontres. Vous n'êtes pas à la bonne place. »

C'est là que je lui dis que j'allais partir. J'aimais tant les contretemps. Pendant que j'essayais mes strings rose et blanc et mes maillots de bain, je lui ai susurré que la voix absconse de mon Europe m'appelait sans relâche. Que je devais partir en Suisse pour les préliminaires de mon poste en danse et ensuite travailler à Zakynthos en tant que serveuse pour pouvoir assurer les dépenses de ma petite famille pendant les mois à venir. J'avais tout fait dans ma vie : vendeuse de chaussures au « septième ciel » à Munich, caissière à l'Europe Parc près de

Strasbourg, physiothérapeute et assistante de physiothérapeute, visionnaire et fainéante, imposteur. Pourquoi pas serveuse, surtout qu'il s'agissait d'une île paradisiaque où je pourrais offrir à mon fils des vacances de rêve ? « Viens avec moi, je lui dis. Oublie tes obligations et viens avec moi. On passera par Paris et on se promènera comme des adolescents fous d'amour au bord de la Seine. » « Mon passeport est vert, n'oublie pas, je ne peux pas m'arrêter en Europe. D'autant plus que là, j'encourrais le délit de sale gueule. De plus, j'ai des obligations envers ma famille. Je ne peux pas laisser tomber ma mère. Je ne peux pas briser ma promesse. Ma mère et ma fiancée se suicideraient. »

C'était un jeu. Les délices du libre arbitre. La générosité d'une déesse qui s'appelle inconscience. C'était le seul moment où les rênes étaient entre nos mains. Advienne que pourra. Un moment infinitésimal, imperceptible, après lequel la fatalité s'est mise en marche.

Mais nos voix étaient obnubilées par la joie. Par un sentiment de jamais vu. De jamais vécu.

On s'est habitué, petit à petit, à cette séparation. On la convoitait même, comme si elle était l'épreuve qui allait nous dévoiler la dimension la plus profonde de notre histoire. Il me chantait les chansons d'Aït Menguelet pendant qu'il achetait des cadeaux pour sa famille. Des bottes d'hiver pour sa mère – la tendresse avec laquelle il les cherchait dans les piles de chaussures à Atwater. Ses souvenirs – « tu sais, quand je suis arrivé, mon frère m'a donné comme seul cadeau de bienvenue une carte de métro. Il me l'a chargée pour une seule semaine. Rien de plus. C'était mon initiation à ce monde. » La robe de sa sœur. « Elle ne porterait jamais ces accoutrements. » Il choisit une robe noire. Large, vorace, insonorisée. La voix de sa sœur est insonorisée. Elle ne se fera entendre que lors du procès où elle devra soutenir sa liberté. « Tu me tiendras au courant, n'est-ce pas ? Tu ne pleureras pas, n'est-ce pas, quand tu rencontreras ta femme, tu ne m'oublieras pas. Là où tu seras, tu verras la différence et tu sauras choisir. Mon absence sera plus éblouissante que mille bombes ; il ne s'agit pas de choisir entre elle et moi, mais entre toi et toi. Je te fais confiance. Je sais que tu peux franchir le seuil. Je sais que tu peux être libre. Je sais que tu sauras revenir à moi. »

Je lui disais : « Quand je serai loin de toi, on se verra sur *Skype*. Je te dirai des mots qui éveilleront ton désir. Tu me regarderas avec ton regard qui me rend folle. » Il me répondait : « La distance et le temps qu'on passera loin l'un de l'autre ne feront que décupler cette envie, les retrouvailles seront des plus belles et des plus intenses mon amour, j'en suis sûr ». « Fais confiance au destin, au Dieu, à ton intelligence et à ton cœur mon chéri. Tout sera pour le mieux. Quant à moi, je serai toujours proche de toi. Rien ne m'effraie. On trouvera toujours des issues aux impasses. On trouvera du bonheur dans cette vie incessamment parsemée d'erreurs, de peur, d'incertitude et d'ignorance. »

On s'est embrassés suffoqués, réduits au silence, les yeux écarquillés, plongés dans le vide. Qui nous imposait cette séparation ? Qui nous voulait la mort ?

J'étais sûre et certaine que c'était la seule possibilité. C'était la seule façon pour qu'il se rende compte de ce qu'il voulait. Qu'il trouve la force et le courage de me défendre, tout comme il aurait défendu son pays. Là-bas, il n'y avait pas de torts et de travers. Là-bas, ce n'était que la fierté et la gloire : « Pour toi, Lounes. Lorsque les ténèbres engloutissent la clarté avec la hargne et la boulimie de la bêtise, et que l'on assiste amer au greffage morbide de notre identité, alors le mythe devient réalité. Et ces démons nous agressent à chaque instant. Nous refusons de plier. Le greffon ne veut pas prendre et les bourgeons éclosent plus bas avec la rapidité de la force de la vie qu'on étouffe. Nous n'aurons de paix que lorsque nous vivrons avec nous-mêmes et que nos ancêtres cesseront de se retourner dans leur tombe. Matoub Lounes, tu chantes tout haut ce que tes frères ressentent tout bas. Tu es un baume au cœur outragé. Le chant vient de ton âme et ta voix gonflée de rancœur et de colère nous réchauffe les os. Nous entrevoyons Taos Amrouche traverser les cieux de notre pays en compagnie d'un guerrier numide. Les tatouages de nos mères deviennent alors vérités. Rien d'autre ne saurait ni ne pourrait nous guider. Nous sommes un troupeau malade où les meilleurs ont disparu, isolés ou vaincus, et les médiocres ont pris des allures d'astres scintillants. Chante-leur, Lounes. Chante, Matoub, chante ! Un poète peut-il mourir ? »

Voilà, c'est ce que je croyais. Il y avait un seul détail que je n'avais pas prévu. Et ce détail-là, il était plus fort que mon amour pour lui. Plus fort que ma liberté. Plus fort que la vie et la mort. Je ne connaissais pas son Algérie. Plutôt, sa Kabylie. Je ne connaissais que mon honneur de femme occidentale. Et ma blessure. Mon passé. Que je croyais être aussi son passé.

Je suis partie avec mon fils qui se préparait pour les grandes vacances. À peine arrivée en France, j'ai cru étouffer. J'ai trouvé le premier téléphone public et je l'ai appelé :

« J'ai parlé toute la nuit avec toi mon chéri
j'ai compris pourquoi tu m'attires tant
parce que toi aussi, tu as commencé la vie avec une
blessure, comme moi
et malgré cette blessure, tu continues à avancer,
comme une horde de barbares
on se verra à minuit. »

« Entendre ta voix ce matin m'a fait rêver, je me suis
imaginé avec toi sur les bords de la Seine ; on aurait
pu prendre ensemble un bateau-mouche, pour passer
tout le trajet à nous embrasser.
Depuis que t'es partie, je cherche chaque jour ton
visage sur ceux des femmes que je croise.
Tu es pour moi un trésor que le temps ne me volera
pas. »

J'ai regretté plusieurs fois cette décision de partir au
moment précis où il devait prendre la grande décision
de sa vie. Il l'avait prise d'ailleurs, quelques mois
auparavant, sur un coup de tête, me disait-il, mais
j'essayais de me convaincre que mon absence allait le
forcer à revenir là-dessus. Qu'il allait se rendre compte
que je lui manquais à tel point que sa vie n'aurait plus de
sens sans moi. À l'autre bout du fil, sa voix était aussi
égarée que la mienne ; on se cherchait éperdument.
Comment donc pourrait-il encore être capable de
tramer son scénario, d'acheter son billet d'avion et
d'atterrir dans les bras de sa mère et de cette femme
vêtue de jaune et de mauve ? Aucune convention ne
pourrait résister devant une telle évidence. J'étais
convaincue qu'au bout de deux semaines il allait
demander un congé au centre d'impression où il
travaillait et qu'il allait me rejoindre sur l'île de
Zakynthos. Jusqu'à aujourd'hui je ne comprends pas

tout à fait comment aucun de mes scénarios ne lui a traversé la tête, ne serait-ce que de manière imperceptible. La seule réplique dont je me souviens, au comble de l'amour, c'est : « Je t'aime à tel point que je voudrais te donner tout mon argent pour que tu puisses accomplir ton rêve : voyager, voir le monde. » Visiblement, je n'étais pas une Roxelane. J'étais plutôt une femme occidentale qui n'avait pas connu la peur. Il faut avoir été dépossédé de tout pour pouvoir imposer sa vue. Le scénario de la fameuse Roxelane m'était d'un coup apparu sous un autre jour.

On s'était promis la fidélité. Cela allait de soi. Comment aurais-je pu scruter les touristes d'un regard insistant quand, lui, il s'était installé au centre de mon regard ? Malgré son immense expérience en matière de sexe, il n'avait jamais fait l'amour à une femme sans capote. Je me souviens le jour où il l'avait enlevée, dans un geste de rage, en l'écrasant sous ses pieds et en s'exclamant : « Ce n'est pas possible de trouver la femme de sa vie et de dresser un mur devant elle. T'en as eu combien aujourd'hui, mon amour ? Depuis qu'on le fait sans capote, on pourrait ne plus jamais s'arrêter. »

Quels projets de vie pouvais-je envisager avec lui ? Je n'allais pas aussi loin que ça. Le poste de prof de danse à Lausanne me posait déjà énormément de problèmes. C'était le seul que j'avais pu trouver après des années de précarité à Montréal. Des cours de danse, de chorégraphie et de psychologie, courir d'une école à l'autre, j'en avais marre. Est-ce qu'il pourrait envisager de retourner en Europe après avoir obtenu la citoyenneté canadienne ? Tout ça, c'était encore loin. Même sa femme au bled, je la considérais comme un détail.

C'est là, à Lausanne, quelques jours à peine après mon départ que j'ai compris que cet homme allait ou bien devenir tout pour moi, ou bien allait m'apporter le plus grand des malheurs. J'étais en train de me promener au bord du lac pendant que mon fils jetait des pierres qui supprimaient les ondes, et ne cessait de me demander quand on allait partir à Zakynthos. Il voulait absolument qu'on aille à Ithaque, à un jet de pierre, pour voir le tombeau du grand voyageur. Je lui ai raconté toutes les histoires possibles. J'étais fière d'avoir été capable de surmonter mon destin de mère seule, les difficultés du travail, le renoncement aux voyages pour une longue période de temps, ce que pour moi signifiait pire que la mort ; et qu'en dépit de tout ça, j'étais capable de lui offrir l'éducation rêvée. De lui raconter des histoires de guerriers et des femmes indomptées. De lui enflammer l'imagination.

On était donc en train de se chamailler sur la date du départ. Je lui expliquais que je devais encore attendre quelques jours pour que le comité d'embauche me convoque. Mon fils, à me dire qu'il s'ennuyait et qu'il ne voulait remplacer Montréal par cette petite kitchenette pour rien au monde.

À ce moment-là, j'ai commencé à me ressouvenir toutes les scènes qui s'étaient passées à Montréal, à peine une semaine auparavant. J'ai toujours eu de la facilité à laisser derrière moi le passé, alors qu'il devait absolument s'effacer. Mais là, c'était comme si j'étais aspergée par un vortex. Pendant que mon fils me bousculait et essayait de me faire trébucher, je revoyais tout. J'ai dû m'asseoir. J'étais damnée. Quoiqu'il arrive, je n'étais pas capable, au moins pour l'instant, de m'en défaire. J'ai cherché un café Internet et pendant que mon fils parlait sur *Skype* avec ses grands-parents, en leur disant que peut-être après Zakynthos, on passerait les voir, je lui ai écrit. J'ai essayé en premier de l'appeler, mais il ne m'a pas répondu. Il était au travail, de toute évidence.

« Les gens d'antan croyaient que les femmes étaient fécondées par l'eau
que les chutes d'eau, les rivières étaient porteuses de la semence qui faisait en sorte
qu'après quelques mois l'enfant vienne au monde
l'eau après l'amour est pour moi ta semence
qui me couvre et me féconde
ta semence qui se retire de moi et qui porte des fruits de manière inattendue
à des milliers de kilomètres de distance.
voilà, je rêve d'un liquide qui au lieu d'effacer l'odeur de ton sperme
pourrait la préserver, son essence concentrée.
ton corps chevauchant le mien sous la douche
moi qui regarde la rue et les gens dehors
et toi qui viens comme un voleur
m'écartes les fesses et me pénètres au début doucement
et après follement
moi restant debout et regardant toujours la rue
comme si je ne m'apercevais pas
te souriant
et d'un coup, un mouvement brutal que tu fais me réveille
une chaleur intense monte de mon ventre jusqu'à la gorge
et je ne peux plus respirer
tellement les secousses sont violentes.

toi, tu es effrayé au début
d'un coup, tu descends, je ne sais pas ce qui se passe
ce que tu veux faire
cette image de toi à genoux devant moi me fait
trembler de désir
j'attends
le silence
doucement tu pousses un doigt, puis deux puis trois
entre mes jambes
j'attends toujours
je vois seulement ton érection
quelque chose est en train de se passer
tu arrives à mettre une moitié de ta main à l'intérieur
je sens que tu as dépassé la limite, je devrais te dire
arrête
mais je ne le fais pas
je trouve la peine que tu as
d'ouvrir le canal de la naissance, du sexe et de
l'amour
la chose la plus excitante qui soit
ça me fait mal
mais je ne dis rien
je te sens prêt à m'ouvrir entièrement,
à toucher avec ta main
les parois les plus profondes
là où les enfants sont conçus et la semence trouve
son trajet.
je pense que cette idée t'as pris toi-même par surprise
c'est pour ça que tu insistes
je gémis de plaisir et de douleur
tu me demandes de m'allonger sur ton lit
pour que ta main entre entièrement.
je le fais, j'écarte les jambes et tu avances, avances

ça fait mal et pourtant je n'ai pas la force de t'arrêter
mes jambes s'écartent encore plus
une femme ne peut pas s'ouvrir de cette manière à
un homme
sauf si lui est l'homme de sa vie. »

Je ne comprends pas pourquoi, tant que j'étais à
Montréal, j'avais envie de prendre le large, de m'éloigner
de ce dilemme invivable. Dès que je suis partie, je me
suis sentie boiteuse, ne sachant plus sur quel pied
danser. Pourquoi n'ai-je pas pris l'avion de retour,
pourquoi ne l'ai-je pas soutenu, en lui renforçant la
certitude qu'il n'y aurait aucune femme après moi ?
Parce que j'avais peur, je pense, qu'une fois piégée sur
ce chemin sans retour, je doive porter effectivement des
robes jusqu'aux chevilles, ne plus rire à gorge déployée,
rêver aux maisons au bord du lac et aux contrats à durée
indéterminée. La folie des sens s'alliait avec la peur de la
précarité et avec la sécurité. Seuls les fous et les artistes
ont le courage de s'exposer. Je me suis toujours
exposée. Il s'était toujours mis à l'abri. On était
tellement fragilisés dans ce pays d'accueil qu'un
minuscule détail était susceptible de nous faire exploser.
J'ai joué l'ingénue, j'ai joué la mère protectrice, la sage,
la gardienne des soupirs, je lui ai acheté des draps roses
en satin que j'ai dû toute de suite après changer chez
Winners de crainte qu'il n'aille plus jamais bander dessus,
je lui ai préparé des plats, tous les assortiments
possibles, macédoniens, bulgares, méditerranéens, turcs,
inuits, avec de la graisse, sans graisse ; gratinés, non
gratinés, avec de la sauce rouge, blanche, violette, tout
pour lui apprendre ce cannibalisme doux qui s'appelle
l'art de la femme pour séduire son homme. « N'oublie

pas, lui disait sa mère, les femmes connaissent des trucs qui peuvent t'ensorceler à tout jamais ; ne te laisse jamais confondre par les manigances d'une femme. Ses robes, ses histoires, ses plats, ses draps, surtout ses draps et ses plats, fais-y bien attention, elle ne te lâchera plus jamais après. » Et c'est pourquoi sa mère lui avait donné une petite main-talisman, afin de le protéger tout au long de son parcours loin d'elle.

Il m'écrivait :

« Par où commencer mon amour,
ce manque, cette envie de t'avoir à mes côtés,
je ne cesse de penser à toi, j'attends tes coups de fil comme un prisonnier qui attend la liberté,
je me sens revivre depuis que je suis avec toi,
la distance n'a fait qu'augmenter mes sentiments pour toi.
j'ai tellement hâte de te revoir. »

Il me demandait au téléphone : « Tu penses que je suis foutu ? Que je ne pourrai plus jamais désirer une autre femme ? Tu penses que c'est fini pour moi ? S'il te plaît mon amour, sois fidèle. Je t'ai promis la fidélité et je tiendrai ma parole. Promets-moi de tenir le coup. »

Je ne le savais pas. Je ne savais rien. La seule certitude que j'avais, c'était le fait que mon absence devait lui dévoiler la vérité. Comme si cette vérité avait la moindre valeur. Comme si je voulais influencer son destin. Comme si je voulais dépasser d'un seul coup les quelques siècles qui séparent l'homme actuel de celui des croisades.

Je ne connaissais pas encore cet atroce désir de vengeance. « Pourquoi me méprises-tu, me disait-il avant notre séparation, la dernière. Je t'ai toujours dit la vérité. Tu savais que j'étais pris ailleurs. Tu savais que je n'avais pas le choix. Il y a pire que ça. La Franco-Canadienne en a encaissé pire. Elle a vécu pendant trois ans avec un Turc dans le même appart, ils ont partagé le même lit, les mêmes plats, français, méditerranéens, et un jour en revenant à la maison, la femme s'est aperçue l'absence de son amant. Un billet sur la console : "Je suis marié. Ma femme atterrira dans quelques heures." C'est pour ça que je n'ai pu rester à ses côtés. Comment a t-elle pu se faire avoir à un tel point ? Comment a-t-elle pu encaisser un tel truc ? Comment ne s'apercevoir de rien tout au long de leurs trois années ensemble ? »

L'étreinte amoureuse. L'étreinte à vie et à mort. Entre le désir et le devoir, le cerveau de ces hommes ne perçoit pas l'anneau. L'amour. L'amour est une honte. Il faut s'en débarrasser s'il vient à l'encontre du désir ou du devoir.

Dans un de mes cours portant sur les acquis psychologiques de la société contemporaine, j'ai discuté des arguments pour et contre la peine de mort. La peine de mort est irréversible. On ne peut punir quelqu'un de la même manière qu'il a transgressé les limites. Ce serait contradictoire. D'autant que ceux qui commettent des actes atroces ont moins peur de la mort que de l'emprisonnement à vie. Ils sont tellement asociaux que tout ce qui attente à leur folie irréfléchie est plus à craindre que la mort. « Est-ce que vous considérez que l'abolition de la peine de mort est un progrès ou une faiblesse de la société occidentale ? »

Leurs réponses : « On ne peut jamais traiter un humain comme un chien, sous aucun prétexte. C'est un gain. Même si l'homme mis en prison ne se repent jamais, même s'il ne prend pas conscience de ce qu'il a fait, on ne peut jamais donner la mort pour la mort. Ça veut dire, être aussi criminel que l'auteur du crime. » « Est-ce qu'il y a des gestes impardonnables ? Est-ce qu'il y des trahisons, des meurtres, des actes prémédités qui ne peuvent être rattrapés jusqu'à la fin du temps et qui méritent la peine capitale ? » « Les génocides, les violences et les abus infligés aux enfants. » « Mais si jamais quelqu'un de ton entourage, une personne à qui tu fais confiance à cent pour cent, commet un jour un meurtre... Pris par une folie instantanée, il perd l'emprise sur ses facultés rationnelles. Si par exemple ta mère... » « Ne vous en prenez jamais à ma mère... » « Non, c'était juste une expérience mentale. Si ta mère... » « Je vous l'ai dit. Ne parlez jamais sur ce ton de ma mère... » « D'accord... » « Oui, je crois qu'il faut lui donner exactement le même châtiment que l'acte qu'il a commis. Même la mort n'est pas suffisante. Le laisser pourrir en prison. Lui infliger des peines insupportables. Des souffrances éternelles. Œil pour œil. » « Mais cela déclenche un cercle éternel de la violence, duquel on ne pourra jamais se défaire. » « Tant mieux. Dent pour dent. »

C'était une garce marocaine qui me disait cela. L'humanisme européen, de la pisse, de l'eau de rose. Raccroche et pars. Il y a une seule modalité pour affronter les problèmes : en les écartant. Tout ce qui te barre le chemin, il vaut mieux qu'il s'éloigne. Le pardon, la remise en question – des discours pour des intellectuels renfrognés.

Je ne comprenais pas comment, moi, une intellectuelle jusqu'au bout des ongles, j'avais pu mettre la main sur la bête algérienne que tant de femmes désiraient avoir. Et comment est-ce que je l'ai amenée, par cette étrange mécanique du désir et de l'absence, à se poser la question de la fidélité, de la dévotion et du manque ?

Il était amoureux de moi, rien à dire. Maintenant, il ne manquait que sa décision. Me suivre. S'approcher de moi. Devenir comme moi. Maintenant ou jamais. La route 66, la roulette russe, le dernier diable juché sur les collines du destin, l'acceptation de sa mère, le Nouveau Monde. Tout était pour nous. Le Nouveau Monde s'ouvrait là, à nos pieds. Il ne manquait qu'un petit pas pour l'arracher de toutes nos forces.

On s'appelait cinq fois par jour. On s'écrivait trois fois. Viens avec moi en Grèce, passe par-dessus ton Algérie. N'achète pas ton billet. Donne-moi cette preuve. Pour une fois. Il n'y a rien à craindre.

Je ne peux même pas dire qu'il a hésité. Il ne s'est même pas posé la question. Il était l'homme du moment. L'homme de la seconde. L'homme de l'infinitésimale seconde, qui aboie, qui caresse, qui renifle, qui asperge. La survie. Jusqu'alors, j'étais sa survie. J'étais douce, protectrice, sage, infranchissable comme la survie. Il avait besoin de moi. Il ne pouvait pas imaginer sa vie à Montréal sans moi.

« Efface tout sur ton compte *Facebook*. Le Français, le père de ton garçon, tes amis musiciens et artistes, efface tout. Moi, je vais faire la même chose. Je vais supprimer Françoise, la Franco-Canadienne, la Québécoise, la Russe. » « Supprime aussi celle qui se trouve en Californie. » « Je ne peux pas. Elle a tout perdu. Elle est seule. Elle n'a plus rien. Si je la supprime, elle se sentira rejetée par l'univers entier. Je ne peux lui faire une chose pareille. Voici celle que j'ai aimée quand j'étais adolescent. Voici mon passé. Je vais tout supprimer pour toi. L'amour passe par le sacrifice. Fais de même, de ton côté. »

J'ai hésité deux jours. Un homme est son passé. Une femme est composée de tous les hommes qu'elle a connus. Leurs particules, leurs cellules et leur lymphe s'écoulent dans son sang. Si j'efface les hommes qui pensent à moi et qui trament encore des scénarios improbables à l'autre bout du monde, qu'est-ce qui me restera ? J'existe, j'accomplis des choses afin d'exister devant eux. Rien d'autre ne me pousse à agir. La scène universelle, la mémoire collective ? Rien de cela ne me motive.

« Je te comprends. Efface-les tout de même. Je ferai la même chose. »

C'était un jeu. Un jeu abscons. Je n'avais aucune idée de ce que j'aurais pu gagner ou perdre.

C'était un jeu de survie. Un jeu de pouvoir. Celui qui allait le plus loin gagnait le grand prix. Il ne s'agissait pas du tout de mariage, d'enfants, de draps rose ou gris, de la bénédiction de sa mère. Celui qui allait le plus loin gagnait la mort.

Au comble de l'excitation, j'ai tout effacé. Je l'ai déjà dit. Si, pendant qu'il me faisait l'amour, quelqu'un m'avait tranché la main, je n'aurais rien ressenti. La même chose avec mon passé. Je n'ai même pas senti quand tout le poids de ma vie s'est écoulé dans les vidanges sans fond de *Facebook*. Effacé le type qui inventait un festival de jazz à l'autre bout du monde, en Corée. Strangulé celui qui voyageait en Australie sur les épaules d'un kangourou géant. Asphyxié l'homme qui donnait des entrevues à la BBC, qui était devenu vedette mondiale et que j'avais une seule fois recroisé, entre deux avions, à Atlanta. Recommencer la vie à zéro, quelle beauté inouïe. J'avais appris la violence. La cruauté. Le crépuscule des dieux. C'était excitant.

On se voyait sur *Skype*. Je traînais mon portable partout où je marchais. Je me connectais à minuit, avant qu'il attrape le métro qui l'amenait à son trou, son boulot ; je me connectais à sept heures du matin, quand il prenait sa pause de midi à Montréal. J'ai toujours aimé les distances. J'ai toujours aimé les histoires. J'ai toujours aimé les contretemps.

Tout dans le seul but de nous créer l'espace d'une attente. Pourquoi ne lui ai-je pas tout simplement dit : « Reste avec moi, oublie ton mariage. C'est trop tôt pour te le dire, mais pas trop tard. Ne scrute pas les marécages du destin, fais ce que ton désir te dicte. Tu me dis : tu es la femme que j'ai attendue depuis ma plus tendre jeunesse. Si c'est ce que tu ressens, pourquoi hésiter. Vas-y, parle avec ta mère, elle va suffoquer pendant une semaine, deux, trois ; mais ne t'inquiète pas, elle s'en remettra, tu es la prunelle de ses yeux. Franchis la barrière qui nous sépare. C'est aussi simple que cela. »

Mais au lieu de tout ça, je lui transmettais mon désir. J'aimais les drames. Sinon j'aurais eu le courage de lui dire : fais ton choix. Maintenant ou jamais. Ou bien, ou bien… ou alors j'avais peur de tout perdre. J'avais peur que sa réponse ne puisse être que négative, j'avais peur d'être défaite avant même de mener à bout mon combat. J'avais peur que sa réponse soit imperturbablement :

non. Arrache et va-t'en. Sa devise. Sa survie. J'avais peur que sa mère soit plus forte que tout ce que j'aurais pu lui apporter. J'avais peur que sa raison soit prise par un nuage aussi apocalyptique et aussi cauchemardesque que celui qui avait chevauché les plaines de ses rêves.

Je lui écrivais :

« Après avoir dévoré, mangé, bu, étranglé nos corps ivres de désir,
après avoir fini la guerre et la réconciliation,
on commencera effectivement à mettre en œuvre
tout ce qui nous passe par la tête.
cette fois-ci je n'hésiterai plus
on va choisir une femme, ton Australienne par exemple
on viendra toutes les deux chez toi
et moi je vais commencer par l'embrasser sur la bouche comme j'ai voulu le faire avec l'Iranienne du *Second Cup*.
elle sera un peu déconcertée,
ne sachant pas ce que nous voulons d'elle
surtout qu'elle te voudra toi
et moi je ne serais que le passage obligé.
elle se laissera faire sachant qu'elle t'aura à la fin
elle te regardera tout le temps
et son désir éclatera en voyant ton regard.
je la sentirai tremblotante, entre mes mains
je vais relever son bas, j'écarterai ses lèvres.
tu ne pourras pas voir mon visage
je vais m'enfoncer pour une fois dans son odeur
je ne sais pas encore comment je vais réagir
si elle m'enivre ou me repousse,
mais pour toi, j'irai jusqu'au bout
on fera l'amour comme des diables

ou bien vous deux ferez l'amour jusqu'à ce que je
perde la raison,
et moi, je ne te laisserai pas me toucher
j'aimerais vous entendre avoir du plaisir devant moi
qui me donnera l'envie de vous tuer.
immédiatement après, elle partira et on ne la reverra
plus jamais
c'est notre pacte.
sinon je n'embarque pas. »

C'est en Suisse, à Lausanne, au bord du lac, que j'ai
compris que j'étais irrémédiablement amoureuse. Je
pensais que c'était juste une question de temps pour
qu'il se rende compte que le passé n'avait aucun rôle là-
dedans. C'était une évidence qui ne supportait pas de
doute. Je m'y préparais, j'y préparais mon fils, j'y
préparais sa femme au bled, sa mère et son frère. Je
pensais que l'univers entier était au courant. D'ailleurs,
souvent à Montréal, on croisait un écrivain de sa région qui
avait écrit un livre nostalgique et fantasmagorique sur la
question identitaire de la Kabylie. Cet écrivain avait tout
laissé tomber pour se consacrer à son écriture. Il avait
ouvert sa propre maison d'édition et ne publiait rien d'autre
que des livres qui portaient son nom. Amran disait qu'un
homme, un vrai, ne pourrait jamais faire une telle chose.
Laisser tout tomber pour ses idées farfelues. On l'a
croisé pas mal de fois dans la rue. Amran ne m'a jamais
présentée. Je n'imaginais pas que sa petite Kabylie s'était
déplacée sur Monkland et que des yeux sortaient de
partout pour l'épier, pour le scruter et pour le dénoncer.

« De quoi est-ce que vous parlez entre vous, les gens
de chez toi ? me demandait-il. J'imagine que vous parlez
de la politique, de la culture, de l'exil et de vos enfants.
Les gens de chez moi parlent d'une seule et unique

chose : si la femme est capable de satisfaire son homme, si l'homme, lui, est capable de satisfaire sa femme, et si elle lui montre assez de respect. À part ça, il y a bien sûr la politique et l'indépendance kabyle, et c'est à peu près ça. »

Bien sûr, la culture. À la même époque, j'ai retrouvé une amie à moi qui me parlait de Faust. Effectivement, voilà, c'était de la culture ; elle était intriguée du propos antiféministe du spectacle. C'est la femme qui prend tous les coups du malheur. L'homme fait le pacte avec le diable, négocie sa science contre sa jeunesse, il pèche, il s'en fout pas mal des règles édictées par le Bon Dieu et, finalement, voilà, c'est la pauvre femme qui paie les pots cassés. Enfants illégitimes, exclusion, folie, mort. Mon amie en était révulsée.

Avec Amran, j'ai négocié ma jeunesse contre tout. Plus immortelle que jamais. Je me disais que si jamais j'étais censée tout perdre, au moins je l'aurais fait en pleine connaissance de cause. Sans victimes collatérales, sans Marguerite qui allait pourrir en enfer pour s'être soumise au doux son de la voix du diable. J'étais Faust et Marguerite d'un seul coup. J'étais plus que jamais résolue à négocier chaque millimètre de sa capitulation totale. Je voulais qu'il se rende à cet amour. Est-ce qu'on peut me condamner pour cela ? Quelle femme ne voudrait pas le faire ? Sauf que cette capitulation n'entrait pas dans son code génétique.

Il allait voir son frère chaque fin de semaine. Ensemble ils regardaient les feux d'artifice au centre-ville ou fêtaient la fête du Québec. Quand j'appelais et qu'il était avec son frère, il ne me répondait pas. Il sortait de la voiture ou prétextait un mal de crâne violent pour pouvoir m'appeler.

Il était fou amoureux de moi. Et pourtant, il s'est acheté le billet d'avion pour retourner chez lui et se marier. C'était un jeu, il n'y avait rien à craindre. Juste une prise de sang, une petite cérémonie familiale.

Je n'ai rien pu y faire. Mon absence lui donnait la mesure des sentiments qu'il me portait, mais le devoir envers sa mère, sa famille et sa patrie n'avait pas d'équivalent. Il était amoureux de sa femme ? Je ne pourrais le dire. Pour moi, elle n'avait pas d'existence. Elle est entrée comme un trou vorace dans ma vie, elle se couvrait dans le pourpre du silence. Je ne lui connais pas de voix. La seule voix que je connaisse, c'est le pacte du silence. Ne parle pas d'elle. Elle n'existe pas.

Le jour où il m'avait annoncé que dans deux semaines il allait partir chez lui, je me suis moi-même enfin décidée à partir en Grèce. Mon fils l'attendait depuis longtemps ; il a émis un long cri de joie. Je n'avais pas encore finalisé mes négociations professionnelles, des restrictions budgétaires faisaient en sorte qu'une réponse définitive ne pouvait m'être donnée avant l'année suivante, vers le mois de février. Ça y est, le marché du travail est coincé, la récession bat son plein, entre temps me voilà en route vers la Grèce.

J'ai commencé mon voyage de l'oubli. À peine avais-je rencontré Amran que je devais déjà l'oublier. Il se préparait pour son mariage. Je ne pouvais pas négocier mon passé contre ce devoir absolu, au-delà de toute logique. Mon passé pesait lourd dans la balance de sa décision. Son honneur ne lui permettait pas de faire de telles erreurs stratégiques. Il ne pouvait pas apparaître devant les siens, tel un ami à lui qu'il tenait en pitié, qui s'était affiché sur *Facebook* avec une femme, mère monoparentale d'un garçon de cinq ans. Il se serait senti rabaissé. La cérémonie de noces…

« Il n'y aura pas de cérémonie de noces mon bébé, je te l'ai dit mille fois. Juste les prises de sang, les actes à la mairie, un court baiser, ne t'inquiète pas. Je t'ai promis fidélité et je tiendrai ma promesse. Promets-moi de tenir le coup. Fais-le pour nous. »

Je ne comprenais rien. Je n'avais pas les moyens de comprendre. Je me suis dit que dans ces conditions-ci, la meilleure chose à faire c'était de partir. Errer. Cogner aux portes de l'enfer. Cogner aux portes de la vie. Essayer de comprendre. Souffrir. Tout épuiser. Épuiser en premier la chair, les orifices et le désir ; et après, épuiser les mots. C'est ce que je fais d'ailleurs maintenant. Tant que j'exhume les mots de cette histoire dont je n'ai pas voulu apercevoir le dénouement, il est en vie, il est avec moi. Quand je mettrai le dernier mot sur le papier, il s'évanouira, il ne sera plus avec moi. Il sera définitivement, sans plus d'appel, à sa femme.

On a loué une voiture, moi et mon fils, et on est parti vers le Sud. Deux jours après, on était à la frontière grecque. Deux jours et demi supplémentaires et on était aux portes de l'Hadès.

Je lui écrivais :

« Bonjour chéri, toujours en route, toujours pensant à toi.
cette attirance incroyable n'a pas faibli depuis que je suis partie.
l'amour est subversif
il ne tient compte ni de traditions, ni de familles, ni de coutumes.

tout se passe entre toi et moi, la guerre, la paix, le plaisir, la souffrance, la révolution, tout.

je t'aime

je vais t'appeler. »

Je lui racontais mon périple aux portes de l'Hadès. Les souterrains humides, le rocher sombre s'ouvrant comme les entrailles d'une femme ; des chambres de purification, des rituels auxquels les hommes se soumettaient afin de pouvoir entrer en communication avec les âmes des morts.

Comme à chaque fois que je sentais les ailes du malheur se profilant au-dessus de moi, mon corps acquérait une beauté inexplicable, une attirance que je n'exerçais pas dans des conditions ordinaires. Dans dix ans, je commencerai à défiler par le monde sans corps ou bien avec un corps translucide et cassant. Ou bien, je me livrerai chaque jour à cette bataille inépuisable que certaines femmes mènent avec le temps. Je deviendrai moi aussi une sorte de Russe, avec ses dorures et son *botox*, une cave fringante, sans âge et sans histoire. Chaque jour qui m'est soustrait revient à sa femme. Elle n'a pas peur du temps. Elle est là, à attendre. Pour moi, chaque jour me rappelle ce changement imperceptible qui commence par le délaissement progressif du visage. Je me figerai à cette époque de ma vie. La chirurgie plastique n'y sera pour rien.

Il m'a surprise à ce moment précis, avant que les premiers signes de la déchéance ne se fassent ressentir. Ce n'est pas la première fois que la femme se métamorphose, gagne une beauté inouïe, une jeunesse éternelle, comme il se plaisait de la nommer. Devant cet arrêt du temps, le visage de sa femme me paraissait blême et sans fard. Qu'ils aient été en train de tramer des scénarios d'avenir ensemble, ne me traversait pas l'esprit. Il était impossible qu'il fasse des projections à long terme alors que sa vie explosait avec moi.

On ne laissait rien d'inexploré. Pendant nos séances *Skype* de minuit, il se mordait la main en voulant me toucher et offrant pour seul témoignage de son désir le sperme qu'il étalait sur un *t-shirt* noir, comme s'il voulait me prouver que ce n'était pas du faux semblant, ce n'était pas de la masturbation intellectuelle, mais bel et bien du sperme. J'étais la charmeuse de son corps. Il ne manquait qu'un détail pour que je devienne aussi la charmeuse de sa vie.

Oui, j'étais prête à devenir une autre femme, à laisser derrière moi toutes mes histoires amoureuses et à embarquer dans une vie que je n'avais envisagée ne serait-ce qu'une seule fois dans mes projets d'avenir. Je savais que cette attirance insensée, on ne la ressent que deux ou trois fois dans la vie. J'étais prête à tout risquer pour cela. Je me disais que peut-être je ne la vivrais plus jamais. Oui, on peut récupérer au crépuscule de la vie des amours perdus, des pierres d'achoppement échelonnées dans notre parcours. Oui, sans doute, on peut le faire, sauf que l'énergie qu'on dépense dans de telles circonstances est une énergie différente. C'est l'énergie de la réconciliation, de la peur et de l'abdication. Tandis que l'énergie que nous dépensions pendant nos séances *Skype* où il mordait sa main était l'énergie cruelle de « l'advienne que pourra ». Arrache et cours de toutes tes forces. Ne regarde pas en arrière. Ce regard te tuera.

C'est à travers ce désir atroce que je voulais le convaincre de tout risquer pour cet amour, même s'il était trop jeune et trop effrayé pour l'accepter. Il inventait plutôt de petites ruelles dans lesquelles on allait se perdre après l'arrivée de sa femme, des images de notre bonheur de couple, traqué par le monde entier. « J'aimerais voir le monde avec toi. Et te donner un enfant, un frère pour ton garçon. Surtout te donner un enfant. Surtout voir le monde. » Tout paraissait possible.

La voix de Roxelane me disait que la seule chose à faire dans telles circonstances était d'allumer son désir de mâle et de tout miser sur cela. Le sultan devait s'y rendre. Il était trop jeune et trop fou pour emprunter la voie de la raison. Je ne voulais pas qu'il me raisonne. Je voulais qu'il m'embrase.

« Tu ne veux pas bébé, me disait-il, qu'on aille ensemble à Koudjouac ? Il y a des postes en arts là-bas. Et moi, je pourrais mettre sur pied un festival de danse pour toi. Il y a trois maisons et un poteau. On sera connus comme les éternels amants inséparables. Là, c'est sûr et certain qu'aucun Kabyle n'a jamais mis le pied. C'est sûr et certain que personne ne nous épiera. Qu'est-ce que tu en dis ? »

Lui aussi, il se rappelait dans le moindre détail nos séances amoureuses. Du sexe, il y en a partout. Ça, c'était une autre chose. Définitivement autre chose.

Il m'écrivait, en se souvenant lui aussi de cette journée où il s'était rendu compte qu'il était allé trop loin, que là, c'était une question de vie ou de mort :

« Cette journée-là j'étais tellement excité
que j'aurais pu me suicider pour toi,
voir ma main te pénétrer avec
cette souffrance m'échauffait tellement

que mon organe se dressait comme un soldat pour toi
je te revois allongée sur mon lit les jambes écartées
et les goûtes d'eaux luisantes sur nos corps
cela me fait frissonner encore
tu me manques mon amour. »

Ce n'était pas aussi facile que ça. Ce n'était pas juste lui faire comprendre à quel point il m'aimait ; plutôt lui faire comprendre autre chose, de plus fondamental : notamment que l'amour a le droit de changer les destins, qu'il a le droit de revenir sur ses pas, qu'il a le droit de faire des choix. Il avait aimé sa petite femme au bled, mais il ne l'aimait plus, tant pis. Ou tant mieux. On va passer à l'étape suivante.

Sauf que cette étape ne se dessinait pas du tout devant moi. Les décomptes du temps étaient fragiles. J'ai eu une petite seconde l'emprise sur le désir d'un mâle éperdument amoureux pour changer la trajectoire de la terre. Pour qui me prenez-vous ? Je ne suis pas une Titanide. Tout le monde me croit une Titanide. C'est ça le malheur de mon existence. Pourquoi tout le monde me prend-il pour un astéroïde volant, capable de casser, de réduire en cendres et en même temps de rigoler ? Je ne suis qu'un humain. Je ne peux pas tout supporter.

Lui, par contre, voulait que je supporte tout. C'était l'épreuve de notre amour. Voilà, dans sa logique tordue, il voyait les choses de la manière suivante : son mariage était la grande épreuve. Tiens le coup, chérie. Tu me l'as promis. Cela va renforcer notre amour. Il ne me demandait pas du temps pour qu'il puisse arranger les choses. Non, ce qu'il voulait n'était rien d'autre que d'accepter la fatalité. Sa fatalité. Sa femme et lui étaient prédestinés. Les traditions faisaient en sorte qu'ils ne puissent pas se toucher avant le mariage. Comment un homme dans sa trentaine peut-il faire face à une telle épreuve ? « Tous les maux de mon pays viennent de la séparation de l'homme et de la femme. »

Voilà, il était séparé de sa femme et moi, j'étais sa décharge amoureuse.

Je l'ai accompagné jusqu'à la dernière seconde. Il se touchait encore en se mordant la main quand son frère sonna violemment à la porte en lui disant que c'était bien aujourd'hui son départ et non le lendemain, comme il l'avait cru. Je l'ai vu pris de panique en mettant pêle-mêle ses vêtements dans les bagages et en me déclarant qu'il m'aime plus que tout au monde. Il m'aime autant que sa mère. Il n'a aucune envie de la Russe, de la Québécoise, de la Franco-Canadienne ; même sa femme il ne la désire pas. Il ne sait même pas comment il va faire dans un an. Mais pour l'instant c'est trop loin. Pour l'instant il ne doit rien faire d'autre que les prélèvements de sang afin de pouvoir contracter le mariage. « Tu comprends mon bébé ? Non, tu ne comprends pas. Pour l'instant, c'est un jeu, rien qu'un jeu. Promets-moi fidélité. Moi de mon côté je n'aurai pas le choix. On y pensera à mon retour. Je t'aime plus que tout au monde. »

La connexion *Skype* s'éteint. Il disparaît. Demain il sera en Algérie. Je n'ai rien pu y faire.

J'étais en Grèce, à Thessalonique. Mon garçon était fatigué. Il voulait les plages turquoise de la Grèce, tant convoitées par la planète entière. Il voulait qu'on arrive à Zakynthos. Mais moi, je n'avais pas de force pour bouger. J'ai laissé mon fils à l'hôtel et j'ai commencé à errer dans la ville. Comment était-ce possible ? Comment ne comprenait-il pas que l'amour a ses règles ? Qu'on ne peut pas tout simplement dire à une femme « tu es le grand amour de ma vie » et après disparaître, éteindre *Skype* et se diriger à six mille kilomètres par heure dans les bras de sa femme qui attend au bled. C'est tout à fait inconcevable. « Est-ce que vous gardez encore des atavismes de polygamie ? lui demandais-je pendant nos conversations érotiques. Est-ce que vous n'êtes pas capables de faire votre choix ? C'est contre indiqué pour la santé mentale ? » Il se mit à rire. « Oui, c'est contre indiqué pour la santé mentale. »

J'errais dans les rues de Thessalonique. Il avait disparu de mon champ de vision. Heureux ou malheureux, cela n'avait pas de sens. Ce n'était pas une question de bonheur, c'était plutôt une question d'honneur. Qui se bat pour l'honneur de la femme occidentale ? « Tiens le coup. » Les femmes occidentales sont fortes. « Si je faisais une telle chose à ma femme, elle se suiciderait. » « Et moi ? » « Toi, tu as beaucoup de vécu. Tu connais la vie. Tu connais l'amertume et le manque d'espoir. » Il était l'enfant de sa mère.

J'eus de la difficulté à visualiser tout ce qu'il faisait depuis qu'il était parti. Moi, j'ai toujours eu du mal à accepter le fardeau. Élever un enfant toute seule n'était pas un fardeau. L'élever dans le compromis du mariage, oui, c'était un grand fardeau.

Mais il se délectait en s'appropriant ce cadeau. Sa mère l'étouffait. Il essayait de se connecter sur *Skype* avec moi et il devait s'interrompre à plusieurs reprises parce que sa mère traversait sans cesse sa chambre. Sa chambre de jeune homme. Sa femme n'y était jamais entrée. Sa mère est la seule femme qui a le droit de regarder ses draps, de venir lui caresser le front, de passer ses doigts dans ses cheveux. Sa mère est la reine de son monde.

Je lui ai demandé de ne plus m'appeler. « Tu ne peux pas aller devant le maire avec ta femme tout en m'appelant. Laisse-moi digérer ça. Respecte mon silence. » Il m'appelait tout le temps. Il ne pouvait s'en empêcher. Je lui avais raconté cette ancienne habitude que j'avais de prendre de temps en temps la voiture et de me perdre au fin fond du monde. Surtout le premier jour de l'an, quand les autoroutes, les routes secondaires et les petites ruelles sont désertes. En écoutant Lhasa de Sela, le monde se vide d'humains. Je finissais toujours dans un cul-de-sac où je passais la nuit. Un motel délabré, des bienveillants qui m'accueillaient pour une soirée. Non, je ne buvais pas. Je me perdais. J'avais besoin de connaître cela de temps à autre. Les trains balayés par les tempêtes de neige, les monastères et les réclusions. La perte.

Il avait peur que je me perde à Thessalonique. Surtout que les Grecs sont réputés être beaux. C'est vrai qu'il y avait pas mal d'hommes qui me faisaient la cour. Je n'avais pas encore perdu mon visage. Je n'étais pas transparente. J'étais pleine. J'existais. Mais je ne pensais qu'à Amran. Et à son mariage.

J'ai pris le bus qui m'a amenée à la gare Centrale. Amran était certain que j'étais venue là-bas pour briser notre pacte, pour boire trois bouteilles de vin et coucher avec le premier intéressé qui aurait rencontré mon chemin. L'influence de ses lectures en littérature russe, peut-être.

Je me suis assise, ankylosée, sur un banc, près des rails du train, et je me suis mise à regarder les passants. Plusieurs mendiants s'approchaient de moi et je me sentais comme eux, dépourvue de tout. J'ai commencé à leur donner de l'argent et à écouter leurs histoires fabriquées. Je m'en foutais pas mal des regards des passants qui me prenaient pour une conne. Quand je suis partie, ils ont couru après moi. Je leur ai souhaité bon courage.

J'ai pris le bus vers le centre-ville et j'ai passé le début de l'après-midi allongée dans un parc. Je regardais le ciel et les enfants autour. Puis les souvenirs ont commencé à faire surface.

Petit à petit, tout ce que j'éprouvais me semblait tellement lointain que j'eus l'impression que cela ne m'appartenait plus. Que c'était une illusion. Je suis restée longtemps sur place. J'avais peur que la nausée revienne. Elle était là, mais en même temps elle ne m'appartenait plus.

J'ai rencontré un Hollandais. Par pur hasard. On a dîné ensemble. Il partait à Corfou, à deux pas de mon île à moi. Amran m'appela pendant que je mangeais avec lui. Je n'avais aucune intention le concernant, je laissais juste les choses se faire et se défaire, comme je l'avais appris lors de mes méditations bouddhistes. Comme lui aussi me l'avait appris. J'étais belle. J'étais désirée. Pourquoi aurais-je encore besoin d'un homme qui ces jours-là faisait ses prélèvements de sang pour pouvoir contracter son mariage ? Amran m'appela à nouveau. Le Hollandais me demanda des détails. Je lui dis qu'il s'agissait d'une amie à moi, algérienne, qui fêtait le jour même son mariage avec un homme que sa famille et elle avaient choisi il y a longtemps. Et qu'ils n'avaient pas le droit de consommer leur mariage avant qu'ils s'installent ensemble à Montréal, dans un an.

Qu'ils n'avaient encore jamais eu de moments d'intimité, qu'ils se connaissaient à peine, qu'ils ne savaient pas s'ils étaient faits l'un pour l'autre. « On prend la pastèque et ça y est. Ça fait longtemps que cette amie vit en Amérique. Mais elle est profondément liée à sa culture. » Il me dit qu'il connaissait un auteur de son pays qui parlait de différences culturelles en se basant sur des étalons tels que : la distance envers le pouvoir, le modèle masculin versus le modèle féminin et l'évitement de l'incertitude. Son aplomb à m'expliquer cette incompatibilité par une théorie culturelle alors que j'étais raide amoureuse d'un homme qui signait à ce moment-là les papiers qui allaient le lier à vie avec une autre femme que moi me donna envie de rire. Mais le Hollandais n'était pas bête. Il me dit que si on aime des êtres plus jeunes que nous, on est condamné au malheur. Il n'y a pas d'issue au malheur.

Je le regardai de travers. C'était avec ça qu'il voulait me convaincre d'oublier Amran. Oublier son odeur, son beau visage qui te donnait la chair de poule, ses lèvres frémissantes pendant qu'il te faisait l'amour en échange de la souffrance. Je choisis l'illusion. Je m'en foutais de la délivrance. Je ne pus choisir le bonheur sans lui.

Il continua. Il dit que toutes les pièces shakespeariennes, avec leurs dénouements tragiques, resteraient sans objet, si Internet et la communication instantanée avaient existé à l'époque. Tous les drames de Shakespeare sont le résultat d'un malentendu. Maintenant résolu par la communication rapide. C'est une idée que je me suis appropriée par la suite.

Il avait raison, ce Hollandais, en dépit de son contretemps flagrant. J'étais morte d'amertume et lui m'assenait des discours sur la communication instantanée. Mais il avait tout de même raison. C'est ce que je me disais, moi aussi : si tout ce qu'on avait utilisé pendant les deux mois d'absence n'existait pas – téléphone, cartes, Internet, messages –, un tas de malentendus aurait déjà transformé notre relation en une tragédie shakespearienne. Y compris sa cruauté. La cruauté était là, présente. Et elle resplendissait à toute allure.

Je lui ai laissé mon numéro de téléphone et on s'est promis de se rappeler une fois arrivés sur nos îles respectives, lui à Corfou, moi à Zakynthos. Mais on était tous deux conscients que ça ne se passerait pas. On savait que c'était impossible à cause de cette amie algérienne qui célébrait maintenant ses noces. Enfin, pas tout à fait les noces. Façon de parler.

J'ai déambulé pendant deux jours. Il m'appelait sans cesse. « Tu me pousses droit en enfer. Tu allumes en moi le désir et en même temps tu continues à vivre comme si de rien n'était. »

Je le savais. Fort et bien, je le savais. Il n'y avait aucun doute là-dessus. Je savais que je ne pouvais pas m'empêcher de continuer avant que ce ne soit trop tard, je savais que rien ne pouvait confondre mon désir d'arrêter le temps. Avec lui, mon corps était comme une supernova juste avant l'explosion finale. Depuis lors, je n'arrête pas d'exploser. De disperser mes molécules dans les couches d'ozone. De penser à la mort. J'ai joué à tout. À la roulette russe. Je pense que c'est ça que j'aime avoir avec les hommes. Pas de contrats prénuptiaux, pas de draps, pas de bénédictions. Ce moment de beauté qui explose dans nos cellules, après lequel il n'y a rien. L'euphorie. Ma recette est simple.

Ni combat, ni soumission, ni psychopathologies amoureuses. L'euphorie. L'oubli.

J'ai pris mon fils qui était au comble de la joie. Je ne comprends pas comment j'ai pu lui cacher une telle chose. Je me sentais comme la dernière des traînées au monde et, devant lui, j'apparaissais comme la Madone avec le bambin, douce et souriante. Je lui achetais toutes les cochonneries possibles. Son énergie me soulevait. Ses jeux me déconcertaient. Je ne l'aurais pas échangé contre dix relations amoureuses. Je ne lui cherchais pas de père. J'étais contente de ce que je pouvais lui offrir.

À peine arrivée à Zakynthos, j'ai commencé à travailler comme serveuse à l'hôtel où nous avons pris notre chambre. Nos réserves étaient terminées, je n'avais pas le choix. Les pourboires étaient énormes. C'était la main invisible d'Amran. Mon corps était devenu de la cire malléable, une pâte visqueuse, matière inflammable. Impossible que les mâles ne s'en aperçoivent pas. Les pourboires que je recevais dépassaient de loin ce que j'aurais pu imaginer. Aucun homme n'avait le droit de franchir le seuil de ma porte. Mon fils inhibait tous les regards qui se posaient sur moi, tous les désirs qui me convoitaient.

Quant à moi, je ne pensais qu'à son Algérie. À peine entrés dans le mois de carême, juste après l'officialisation de son mariage, nous avons commencé une relation illicite, d'une intensité décuplée. Était-ce l'interdit, l'effraction qui la rendait aussi inouïe ? Je ne puis le dire. Sous les yeux de sa mère, sous les yeux de sa femme, de sa belle-famille qui lui préparait des gâteaux et des louanges royales, nous, nous célébrions nos festins charnels. Sous les yeux de mon fils qui s'endormait rampant les escaliers du sommeil sous le protecteur regard de sa mère, je me dévêtais, je détachais mes cheveux, j'ondulais mes fesses et mes hanches. Au début, cela me paraissait bizarre. Cette image sulfureuse de moi dans les séances *Skype*. Petit à petit, je m'y suis habituée. Je mettais mes strings de toutes les couleurs, je les laissais glisser doucement, imperceptiblement. Je laissais mon regard lanciner au coin de sa chambre. Je voyais son désir. Dans son univers, il n'y avait plus de place pour une autre femme. Visiblement. L'épouse, l'intouchable, ne pouvait lui inspirer que du respect. Son crâne, sa cage thoracique, son vortex, son plexus, son sexe, ses mains, tout était rempli par nos minuits sur *Skype*. Il avait bien fait ses comptes. Jusqu'à l'arrivée de sa femme, un an s'écoulerait au moins. Moi, j'étais là, présente, promesse du bonheur terrestre.

Je lui écrivais :

« Je comprends alors que tu suis les bonnes règles
du mois de carême.
ce que tu m'écris en est la plus éloquente preuve :
savoir que tu penses de cette manière à moi
pendant que tu n'as même pas le droit de regarder les
femmes.
moi, pour ma part, je continue mon périple érotique
avec toi
je ferais comme si je n'étais pas présente.
peut-être que je t'attacherai pour que tu ne puisses
pas me toucher
et j'agirais exactement comme je le fais pendant nos
séances *Skype*
je te verrai mordre ta main — cela me donne la chair
de poule,
mais je ne te laisserai pas t'approcher de moi.

tu vas me supplier de venir vers toi, tu voudras me toucher

pour savoir s'il ne s'agit pas d'un rêve.

je vais te faire mal, j'ai besoin de te faire mal

tout comme j'ai besoin que tu me fasses mal. »

C'est là, à Zakynthos, que j'ai atteint l'Olympe de ma jeunesse terrestre. Les tréfonds du temps. *Nunc Stans*. Le présent absolu. Je me réveillais chaque jour vers six heures du matin. Je plongeais dans la mer. Sur ma plage, il n'y avait personne. Je commençais mon travail vers huit heures. Mais je voulais profiter de la beauté de ces matins et du plaisir de mes conversations avec Amran. Lui, il était déçu de son pays. Il voulait partir. Il voulait me retrouver à Montréal.

Il m'écrivait :

« Que dire de mon séjour ici et de ce que je ressens, il y a en moi beaucoup d'incompréhension, de déception, et parfois aussi beaucoup de colère ! J'aurais voulu te parler de mes anciens amis, mais malheureusement, la jalousie les a rendus aveugles, ils sont jaloux, car je suis maintenant quelqu'un d'autre ; je pense que ce quelqu'un d'autre leur fait peur. La situation est devenue vraiment intenable ici, c'est malheureux de le dire, mais j'ai vraiment hâte de rentrer à Montréal, je pense que notre histoire y est pour beaucoup, j'ai vraiment hâte de te retrouver mon amour. »

Nunc Stans. Le présent absolu. Le matin à sept heures. Seule sur la plage. La mer encore froide. Les rayons du soleil traversent la mer. Personne ne bouge. Dans une vingtaine de minutes, le soleil commencera à réchauffer la terre. Le sable dégage petit à petit de la chaleur. Ensevelie sous une grande serviette, j'attends les premiers bateaux qui se profilent à l'horizon. Soudain, une envie folle me prend de me toucher. Ma main se glisse sous le maillot de bain et commence à retrouver les orifices du plaisir. Mes mouvements sont presque invisibles, fugaces, j'ai peur que quelqu'un me surprenne. Mais j'avance. Le plaisir remonte. Je ferme les yeux. La mer et là, immobile. La beauté de ce jour restera à tout jamais dans ma mémoire. Même le beau visage d'Amran est absent. Il n'y a que le plaisir qui remonte et ce geste inouï dans lequel je persiste sans la moindre once de culpabilité. C'est ça que j'ai appris avec lui. Le plaisir pur, sans culpabilité. Malgré son monde, malgré sa femme et leurs serments éternels, j'étais au comble de ma jeunesse. Et le plaisir que je ressentais en était le témoin.

J'avais connu la légèreté de l'être. Je ne la voulais plus avec lui. J'avais l'impression que le temps s'était rallongé, que les béquilles du temps avaient éclaté.

Me suis-je rendu compte du coût que serait pour moi cette histoire ? Est-ce que j'ai compris qu'il ne ferait jamais marche arrière, qu'il ne voulait pas mes secousses et mes sables mouvants, mais bien la certitude et la tempérance ? À part mes scénarios érotiques et à part cette promesse d'immortalité que je lui vendais en lui indiquant qu'un jour, peut-être, je commencerais à écrire le roman de notre histoire, sauf que tu sais, Amran, je n'ai aucune idée de ce que tu deviendrais là-dedans, comme je n'ai aucune idée, moi non plus, du rôle que je vais jouer tant que la cristallisation n'est pas complète – je n'avais rien à lui apporter. « De quelle cristallisation parles–tu bébé ? »

Effectivement, de quelle cristallisation parlais-je ? De cette métamorphose irréversible, de tes actes qui balaient notre fragile rencontre. Tu te maries en Algérie, chez toi, et en même temps tu regardes du coin de l'œil mon trajet à Zakynthos. Tu changes, aujourd'hui tu es là, avec moi, ta femme est une effigie bizarre, ta béquille, ton issue de secours, demain tu regarderas du coin de l'œil vers elle ; c'est elle qui devra te secourir une fois que tu tomberas entre les bras de cette Circé dont tu ne peux pas encore te défaire. Pénélope est là, toujours aux aguets. Elle ne changera jamais de place. C'est elle que le fougueux Ulysse recherche. C'est elle qui lui donnera des enfants. C'est avec elle qu'il vieillira. Dans un an, quand ta femme viendra à Montréal, tu devras construire jour après jour ta vie sur mon absence. Sur mon inexistence. Pourquoi accepter une telle déchirure de l'âme ? Après ? Qu'est-ce que je serai après ?

C'était la chose la plus insensée qui soit, et pourtant je n'ai pu m'empêcher de lui donner cours. Je savais qu'il allait se nourrir de mes branches et extorquer le fluide de mes poumons et pourtant, je n'étais pas capable de m'y opposer. C'était un tremplin vers la mort. Sans aucun espoir. Sans filet.

Sa vision était différente. Il avait besoin de moi. Dans sa solitude à Montréal, j'étais son seul port d'attache. Il voulait qu'on prenne l'avion du retour ensemble. Qu'il dise au revoir à sa femme au bled, en lui susurrant des promesses de longue vie, et qu'il me retrouve moi, à Paris, pour traverser ensemble l'Atlantique.

Il m'appelait sans cesse. Il se connectait jour et nuit sur *Skype* avec moi. Je ne pourrais jamais devenir une Russe, une Franco-Canadienne ou une Québécoise pour lui. Cette intensité était le symptôme de l'éternité. Rien ne pouvait la contourner, la refroidir ou la détruire. Mais son visage était détruit dès le début. Sauf que je n'y ai rien pu. Lui, non plus.

Épuisé par le jeûne et l'hyperglycémie qu'il avait chopée, il s'est dirigé, voile au vent, vers la mairie où il allait sceller notre séparation.

J'étais paralysée par l'incompréhension, par l'absurde, par l'impuissance. Ses décisions me dépassaient entièrement. Il continuait à m'écrire et à m'appeler.

Je me suis vidée d'image. Je travaillais toute la journée, je regardais la joie sur le visage de mon fils, son corps élancé se projetant à l'horizon, sa jeunesse que je contemplais avec envie et fierté, les visages des hommes qui essayaient de me prendre par la main et moi, de leur montrer d'un regard la présence inquisitoriale de mon fils. Je ne voulais rien voir. Je ne le voyais pas en train d'embrasser sa femme, les *flashs* des caméras immortalisant cette union bénie par les familles, la communauté et Dieu. Je ne voyais pas son sourire, son alliance et ses yeux.

Je détachais cette réalité envahissante de celle que je partageais avec lui. C'était un jeu, rien de plus. Aucun instinct meurtrier. Il me disait : « Sois forte, tiens le coup. »

Je lui écrivais :

« Bonsoir mon chéri, je suis forte mon amour
sauf que cela vient avec une tristesse infinie
mon voyage en Grèce – me laisser transpercer par l'oubli.
un espace nouveau, chaque jour la mer, l'infini des eaux
je vois chaque moment de tes retrouvailles là-bas ;
chaque détail des préparatifs de ta communauté pour que tu sois heureux.

je me prépare déjà. je serai moi aussi là-bas
ce mystère qui te réveillera à chaque instant de ta vie future, en pensant à moi.
je t'ai accompagné et t'accompagnerais encore quelques mois
avec une joie et une inspiration insatiables, avec une force de création qui pouvait faire naître et renaître des mondes
avec un désir inlassable, jour après jour et nuit après nuit
il n'y avait plus de limite entre la lumière du jour et les crépuscules
j'avalais l'espace et le temps pour pouvoir te rencontrer
on était faits l'un pour l'autre à tel point que ça me donnait des orgasmes ininterrompus,
d'une trépidation et d'une incandescence incomparables
pour cela, pour cette œuvre d'art
qui est devenue ma vie depuis que je te connais, je te serai à jamais reconnaissante
c'est pour cela que je ne pouvais dormir.
je voulais goûter à chaque instant
cette rencontre bénie par les dieux
je ne voulais rien manquer
aucune seconde de ce monde fabuleux qui s'est ouvert à moi.
tu m'as demandé si j'écrivais un roman sur notre relation
moi, je t'ai répondu : non, c'est encore du domaine du présent
plus tard, quand les choses se clarifieront...
maintenant je suis prête à commencer
à la fin de notre pacte, je te ferai ce cadeau,

cette histoire où tu te reconnaîtras plus ou moins.
et moi aussi, je ne me reconnaîtrai qu'en partie
parce qu'il n'y aura que de l'amour,
il y aura aussi cette violence qui me donne parfois
envie d'étrangler et de tuer tous les invités de la
cérémonie.
jusque il y a quelques jours, j'aurais pu tout être pour toi
désormais je ne serai rien de plus que ton amante.
pour pouvoir survivre, il faut que je passe
par une transformation profonde, que je ne voulais
plus,
pour laquelle je ne m'étais pas préparée cette fois-ci.
chaque fois qu'on se voyait, chaque jour et chaque
nuit, je me disais qu'elle ne serait jamais nécessaire
jour après jour et nuit après nuit j'étais immergée
dans ce monde irréel, sous-aquatique, dans ce
passage entre vie et mort,
entre désir insatiable et arrêt cardiaque.
à la fin de tes vacances, je serai plus forte que tu ne
l'imagines
et je serai encore là à ton retour à Montréal
je vais encore peupler ton monde
avec des souvenirs insensés de l'au-delà
jusqu'à la fin de notre pacte.
mais ne me demande pas de tuer pour toi – je ne le
ferai plus
ne me demande pas de voler pour toi – je ne le ferai plus
ne me demande pas d'escroquer pour toi – je ne le
ferai plus.
je serai forte pour toi, en pensant aux tristes
chansons d'Aït Menguelet que tu m'as chantées avant
mon départ.
nous vieillirons et nous verrons nos enfants grandir

et tout de même, cet amour fou qu'on a partagé
sur les voies mystérieuses de nos vies
resplendira toujours,
même si tout ce qui nous enferme maintenant
disparaîtra sans laisser de trace. »

J'y étais préparée. Il m'avait convaincue. Je croyais en ses mots. Je voyais son visage et c'était une certitude plus forte que n'importe quel contrat. J'avais besoin d'éclater en morceaux. C'était ma dernière épreuve devant le grand inconnu qui représentait les vingt prochaines années de ma vie. Après lui, j'allais aimer autrement. Après lui, j'allais regarder la vie autrement. Pour l'instant il n'y avait aucun après lui. Même pas lui, il n'y avait pas songé.

J'attendais impatiente que le temps passe, qu'on se retrouve de nouveau. La vie était belle. Une année était plus que suffisante pour toute une vie.

Un événement vint ombrager le cercle parfait dans lequel je me mouvais. Je remarquai à un certain moment que mon fils était pâle depuis des jours et n'avait aucune envie de manger. Ses escapades maritimes se faisaient de plus en plus rares. Il trainait d'un coin à l'autre de l'hôtel et coupait court aux conversations avec ses, uniques, grands-parents. Il me regardait du coin de l'œil et ne m'adressait presque pas la parole. J'ignore par quel mécanisme psychique, je ne me sentais pas coupable. J'ai commencé à le gâter, à lui acheter des *t-shirts*, des livres de voyage, je l'envoyais dans des excursions autour des îles, pour qu'il ne s'ennuie pas à attendre que je finisse mes longues journées de travail. Après une de ces croisières méditerranéennes, l'équipage du bateau me l'a ramené presque mort. Sa respiration était courte et sifflante, je voyais ses poumons se dilater dans sa cage thoracique et l'effort qu'il déployait pour rester avec moi, en vie. J'ai cru perdre la raison. Je me sentais punie pour ma relation illicite avec Amran, pour avoir volé, ensorcelé, étayé des promesses irréalisables devant un homme qui avait déjà bien tracé son chemin. Je me sentais punie de ne pas avoir laissé mon fils connaître son père, qui était parti construire la société de l'avenir. J'étais punie d'avoir obscurci les voies de la vérité. J'avais tramé tellement d'histoires à mon fils par rapport aux mésaventures de son père que j'étais enfin mise à nu, exposée, menacée.

Mon fils ne pouvait plus respirer. L'air n'entrait plus dans ses poumons. Je l'ai amené aux urgences de l'hôpital, où les infirmières lui ont administré des doses de chocs de *ventolin*. Après quelques heures d'attente, la vie est finalement réapparue dans ses poumons. J'étais soulagée. Ce qui m'inquiétait le plus était moins son état de santé, maintenant redevenu stable, que le fait que depuis au moins une semaine il n'avait soufflé mot de ce qu'il ressentait. Il était lui aussi, en fin de compte, un homme. Il préférait mourir que de parler de ses malheurs. Je l'ai embrassé passionnément, je ne voulais pas le perdre. Je ne voulais pas qu'il me cache des choses.

Il s'était rétabli facilement. Il était très jeune, mon beau garçon. Il avait devant lui une vie entière à vivre, des histoires d'amour sans nombre, des ascensions et des déclins illimités. J'étais jalouse. J'étais jalouse de mon propre fils. Son silence pendant la crise d'asthme m'avait donné la mesure des hommes, de tous les hommes. La souffrance n'existe pas. Garde le silence.

C'est ton honneur. Est-ce que ça serait possible ? Un jour, Amran aussi, qui n'était maintenant que parole, qu'expression, que passion, se cachera derrière le rideau du silence, et moi, je perdrai la raison en essayant de deviner ce qui lui passe par la tête. Un jour il tournera la page de notre histoire et aucun signe ne pourra plus me dire ce qu'il pense. Mon fils m'avait trahie. Ce n'était pas le premier à l'avoir fait.

Je l'ai soigné. Je l'ai embrassé. Je l'ai couvert de soins. Non, il ne devait pas remplacer qui que ce soit. Il ne devait pas rattraper mon malheur. Je n'étais pas malheureuse. J'étais tout simplement entre les mains du destin.

J'ai décidé sur place d'aller voir mes parents avant de retourner à Montréal. C'était une escale obligée. Je m'en fichais pas mal de ce que j'aurais pu gagner à Zakynthos ; mon fils avait failli foutre sa vie dans l'air. Il avait besoin d'une famille. Sa mère ne pouvait être son univers entier.

On a plié bagage et on s'est mis en route. Ses grands-parents nous attendaient. Quel soulagement ! Quelle paix ! Là, il n'y avait plus de décisions à prendre. Mes parents s'aimaient encore. Quoique je tâche de convaincre mon père de me parler de ses aventures de jeunesse et de ses conquêtes, son silence est total. Il observe. Il comprend les causes sous-jacentes de la crise respiratoire de mon fils ; il comprend également pourquoi, à peine arrivée, je ne cesse de parler de Montréal.

J'ai hâte de vivre ; j'ai hâte de souffrir ; j'ai hâte d'exposer mes plaies aux hasards de la fortune. Mon père me dit une seule chose : « Ne fais confiance qu'aux gestes, jamais aux paroles ; les paroles n'ont aucune valeur si elles ne sont pas soutenues par des actes. Les paroles d'un mâle en chaleur ne viennent pas de lui. Elles viennent de la voix de ses tripes, rien de plus. » « Oui, papa, mais sans la voix de ces tripes, mon fils à moi n'existerait pas. Tu n'aurais pas de petit-fils. »

Mon père compatissait avec moi. Ma mère me donnait des recettes naturelles pour contrer l'asthme de mon fils. Mon fils était heureux. Enfin, il ne se sentait plus seul.

Il y avait encore quelqu'un qui ne se sentait plus seul dans les périples de la grande jungle humaine. C'était Amran, qui m'attendait les bras ouverts à Montréal.

Là où on allait reprendre notre combat, notre roulette russe, notre paroxysme, négociation, vengeance, amour, déception. Les mains vides, on allait mesurer nos forces l'un à l'autre. C'était mon année. « Patience ma chérie, ton fils va mieux, regarde maintenant droit dans les yeux l'avenir. Amran t'attend. Il n'a pas encore commencé à t'oublier. Il n'a pas encore mené à bout sa métamorphose. Il a besoin de toi. Tout comme les plantes ont besoin d'air. Comme ton fils, ton bébé l'a. Vas-y. Tu n'as plus rien à perdre. »

Chicago

Après notre retour, nous avons vécu notre lune de miel. Je suis rentrée un samedi matin, lui il est revenu le samedi soir. J'ai passé tout l'après-midi, en l'attendant, sur Mont-Royal. Je n'étais pas heureuse. J'étais incapable de bouger. Piégée, c'est ça le mot. Incapable de marcher.

Le soir même de son retour, je lui ai juste donné le temps de prendre une douche. On a tout de suite commencé à appliquer les promesses qu'on s'était faites sur *Skype*. Je lui ai demandé de mettre devant moi le costume qu'il avait porté pour son mariage. Je le contemplais. Il n'avait pas de chemise. Juste une cravate autour du cou. J'aurais aimé l'étrangler. Il était beau. Il portait encore les chaussures blanches qu'il avait pendant les vacances. Tout le bled l'enviait pour cette acquisition. Son frère venu de France lui avait demandé de les lui prêter pour son séjour là-bas. Amran était l'étalon en matière de mode. La classe, hein. C'est ce que tout le monde lui témoignait. J'avais même l'impression de sentir un nouveau goût sur sa peau. Le contact avec sa patrie. Des sucreries que sa belle-famille lui avait offertes en cadeau. Il les a étalées devant moi. J'avais envie de cracher dessus, mais je me suis maîtrisée. Je n'y ai pas goûté. Après mes insistances, il sortit aussi de ses bagages sa photo de mariage. Il ne voulait pas me la montrer, mais j'ai protesté jusqu'à ce qu'il se résigne et la plante devant moi. Tout ce que j'ai fait à partir de ce moment-là, c'était des actes suicidaires. Buter contre un mur qui ne résonne pas. La photo est restée sur la console quoique je fasse ; de temps en temps elle tombait derrière la télé. Mais imperturbablement, elle réapparaissait après un certain temps. Les conversations avec sa femme réchauffaient le regard éteint qu'il affichait dans l'image. « Porte l'alliance », lui avait-elle demandé. Il ne la portait pas. Par respect pour moi, me disait-il. « Pourquoi as-tu l'air aussi triste ? », lui avait-elle également demandé. Il ne savait pas quoi répondre.

Je lui ai rapporté plusieurs cadeaux de mes voyages : des bracelets, des parfums et des photos des lieux que j'avais traversés. Une boîte ornée où il allait conserver les petites écailles des strings multi chromes qu'il allait déchirer. Il m'avait offert des roses des sables.

« Pourquoi as-tu l'air pensif ? », me demanda-t-il. « Ça n'arrive pas souvent que l'homme que tu aimes se marie deux mois à peine après t'avoir connue. » Il souriait, lui. Rien n'était grave, rien irréversible.

Je voyais son visage abasourdi dans les pauses du travail. Le retour était tout simplement non digérable. Après la manifestation de pouvoir et de fortune qu'il avait étalée dans son village, la réalité lui semblait inacceptable. Il continuait à se chamailler pour les quatorze dollars de l'heure et les perspectives d'emploi étaient moins qu'inexistantes. De plus, il avait posé un acte sur lequel il ne pouvait plus revenir. « J'ai fait une bêtise, confessait-il. Mon frère m'avait averti. J'aurais dû attendre encore deux ans. C'est ce qu'il a fait, lui. Sa femme est restée au bled, dans la maison de ma mère, pendant trois ans, avant que la situation financière de mon frère ne se stabilise et qu'il puisse se permettre de l'amener ici. C'est ce que j'aurais dû faire, moi. »

On mangeait tous les jours ensemble, on faisait l'amour tous les jours également, et nos corps apprenaient à découvrir le plaisir par toutes les branches et toutes les bronches. Nous regardions des émissions à la télé où les scientifiques expliquaient aux novices les secrets du point G ; les femmes le découvraient avec peur et étonnement après maintes expériences sexuelles ; à l'âge mûr, elles ne savaient pas s'il s'agissait d'un mythe ou d'une réalité. Des expériences scientifiques démontraient qu'effectivement le célèbre point G existe.

Une vieille dame en tenue d'Ève donne des explications pratiques devant une audience qui prend des notes et regarde confondue ses performances auto-satisfaisantes. Elle manœuvre un énorme jouet en plastique et le déplace dans tous les sens pour prouver aux étudiants que le fameux tremblement provoqué par le centre G vient au début comme une sensation de piqûre, comme celle déclenchée par l'envie d'uriner ; mais non, c'est différent. C'est une brûlure, une oxydation, un anéantissement, une prédation, une extase dans laquelle l'homme n'a même pas l'obligation d'exister. Et, pendant qu'elle explique la localisation et la dynamique du point G, la dame titille l'énorme jouet à l'intérieur de son corps jusqu'à ce que, sous les yeux de tout le monde, elle vienne, avec un cri de victoire. *Quod erat demonstrandum.* Elle finit son élocution en un geste généreux et probatoire de sa notoriété en matière de jouissance démocratique. Elle invite tout le monde à essayer l'efficacité de l'orgasme public. Elle déclame : « Il s'agit effectivement de la démocratisation du plaisir, du libre et volontaire usage de nos droits en matière d'autosatisfaction. » Les adeptes reprennent ses paroles avec un sourire approbateur. Depuis qu'elle a découvert le jouet magique et les tremblements successifs du point G, elle ne connaît plus de malheur.

On se regarde du coin de l'œil, Amran et moi. « Personne ne résisterait à mes coups, me dit-il. À part toi. » Il est convaincu qu'aucune femme ne résisterait à cette violence qu'il déploie à chaque fois qu'il me fait l'amour.

On descend dans le resto à côté pour manger. Parfois je me sens tellement épuisée après nos parties amoureuses que mon visage devient livide. Je n'ai pas le courage de le lui dire. Je mange les pâtes qu'il me commande jusqu'à ce que je reprenne mon souffle. Je le laisse parler. Il parle toujours abondamment après la décharge physique. Le soir je retourne chez moi pour jouer au casse-tête avec mon fils ou pour lui raconter des histoires. L'histoire qu'il aime le plus est celle de la petite sirène et de son désir de devenir humaine. Mon fils comprend à son âge que ce désir est vain et que seul le pouvoir de son auteur en fait une histoire heureuse. Ariel ne pourrait, d'après lui, jamais rejoindre le monde des humains.

J'ai promis à Amran de l'aider à se trouver un nouveau boulot. Regarder ses lettres de présentation, suivre les offres d'emploi, préparer avec lui les entrevues qui se profileraient à l'horizon. On regardait à la télé des images du Port-au-Prince et cela nous donnait le mal au cœur. J'essayais de le convaincre de penser à cette image rude et de voir qu'en réalité, nous, nous étions choyés. « N'oublie pas, je lui disais, plus d'une moitié de la population du monde connaît la misère ; nous, on est choyés de faire nos vies comme nous voulons. Nous, on est des poètes. »

On a continué à regarder la télé, les catastrophes de la planète ; on a continué à chercher du boulot. On a continué à draguer les filles. On a continué à faire l'amour. Avec une violence croissante, à mesure qu'on se rendait compte qu'on ne pouvait absolument rien faire contre le destin.

Au resto à côté de chez lui. Une petite blonde est assise devant nous, entourée de son groupe d'amies. Elles grignotent, se détendent, échafaudent leur espace public. Elles ont la voix de l'insouciance. « Elles te regardent, me fait remarquer Amran. Tu n'as pas noté, ajoute-t-il, que les jeunes filles te regardent avec insistance ? Elles te trouvent belle. Elles sont jalouses de toi. » Non, je n'avais pas remarqué. Amran scrute tous les regards. Il ne laisse rien d'inaperçu. Comment le traitent les gens, qu'est-ce qu'ils pensent de lui, s'ils lui accordent l'importance qu'il estime avoir ; ce sont des choses qui lui tiennent à cœur. Il regarde également les jeunes filles qui me regardent, moi. Il regarde tous les regards. Les filles s'embrassent, se chamaillent, se contredisent, se rassurent réciproquement.

« Regarde-les bien, me dit Amran. Elles semblent être les meilleures amies au monde. Si d'aventure je commence à draguer la blonde style garçon qui te scrute depuis un bon bout de temps, elles vont commencer à s'entre-tuer. » Amran misogyne ? Je ne l'aurais pas cru. C'est vrai qu'il aime les femmes bien plus mûres. Quoique sa femme… Mais ça, c'est une tout autre histoire. Silence. Sa photo de mariage est renversée depuis quelque temps. Il l'a oubliée là, derrière la télé et fait semblant de ne pas y porter attention. Peut-être… Laissons le destin poursuivre dans ses méandres.

On écoute leurs discussions. Elles se racontent les dernières histoires salées de la télé-réalité. Les accros, les nécrophiles, les amoureux des poupées gonflables, tout est là. Les banques de sperme, les deux femmes qui se rencontrent au parc avec leurs bébés de, respectivement deux et trois mois, et qui se rendent compte que le donneur des deux bébés est le même numéro, 231. Les bébés sont des frères. Quelle joie ! Les femmes sont reconnaissantes au destin de leur avoir accordé cette chance. La jeune femme, dans une petite ville du fin fond de l'Amérique, qui perd l'homme de sa vie et qui traîne jour après jour son urne funéraire partout où elle marche. À l'épicerie, au boulot, dans les visites qu'elle rend à sa famille, qui s'inquiète de plus en plus de ces habitudes malsaines. Un jour, par accident, l'urne se renverse et une partie des cendres de son mari se dépose sur ses doigts. Elle lèche les cendres et l'addiction s'installe. Depuis ce jour, elle n'arrête pas de lécher ses doigts dès que le désespoir l'envahit. Sa seule peur est qu'un jour les cendres finissent par s'épuiser. Qu'est-ce qu'elle fera alors ?

Les filles se regardent, dégoûtées. Elles sont trop jeunes pour comprendre les délices de la nécrophilie. Une autre raconte un cas, devenu célébré, d'un type qui vit depuis dix ans en union parfaite avec une poupée qui imite à merveille l'extérieur comme l'intérieur d'un corps féminin. Ils se chicanent parfois, il l'avoue, mais la plupart du temps, ils s'entendent parfaitement. Quand l'intervieweur lui demande si, par hasard, ce ne serait que le symptôme d'une peur terrible, enfouie au fond de son être, la peur de souffrir, il le dit, effectivement, c'est le cas. Il a peur de souffrir et c'est pour cela qu'il a ajouté un petit détail à leur histoire, notamment, une autre poupée qu'il a invitée en fin de semaine. C'est une surprise qu'il prépare à sa femme. Il attend de voir si les deux femmes vont bien s'entendre. C'est un mariage moderne, en fin de compte. Bien sûr, il ne prendra aucune décision sans le consentement et l'appui de sa partenaire de vie.

Les filles rigolent, sidérées. La blonde se lève. Elle se dirige vers le serveur, au fond du resto. Je la suis du regard. Je suis son pas. Je m'assois à côté d'elle, les yeux rivés sur son front. Amran me scrute d'un regard insistant.

« Excusez-moi, je lui jette. Est-ce que vous pourriez nous accorder deux minutes ? La fille me regarde, vexée. (Je te l'ai dit, me siffle plus tard Amran. Elle est frigide. Quoique parfois, ce genre de femme puisse te concocter des surprises inouïes.)

– Oui vient sa réponse courte et tranchante.

– On est deux artistes et en parlant entre nous, on s'est dit que vous ressembliez énormément à Milla Jovovich dans le *Cinquième Élément*. On aimerait juste vous demander de poser pour quelques séances photo que nous préparons depuis longtemps. Nous avons le cadre, nous avons tout ce qu'il faut, c'est la fille qui nous manque. Ça fait longtemps que nous la recherchons, mais rien ne nous plaît. Bien sûr, il y a beaucoup de belles filles, mais on ne tombe jamais sur le profil désiré. C'est quelque chose qu'on a ou qu'on n'a pas. La photogénie ne s'apprend pas. Dès que l'appareil photo se pose sur quelqu'un, elle est là. Nous, on l'a vue en vous. Êtes-vous d'accord de venir poser pour nous pour des clichés du *remake* du *Cinquième Élément* ? »

Amran me regarde, stupéfié.

La fille hésite un moment, puis elle regarde vers ses camarades et me dit : « Désolée, mes amies m'attendent.

Je ne peux malheureusement pas vous rejoindre. »
Amran se marre.

Il le savait. Il y avait quelque chose qui clochait. S'il
avait été seul, rien au monde n'aurait pu empêcher que
la fille dise oui.

Les filles sont assez prévisibles. Ça y est. « Il faut que je
fasse, moi aussi, quelque chose. » Entre temps, il aimait
bien mes scénarios tout en sachant qu'il n'aurait besoin
que d'un clignement d'œil pour que la fille soit à lui.

Je n'étais pas encore une experte. On n'était pas
encore des experts. On devait s'y exercer davantage.

On n'avait même pas d'ambition concernant le
résultat concret de notre démarche. On le faisait pour
l'amour de l'art. On dénichait le potentiel érotique de la
situation et on laissait les paroles s'étaler sans trop
d'équivoque. Je pense qu'Amran n'avait même pas envie
de donner un dénouement quelconque à ce genre
d'histoires. Il avait peur de me perdre. Il avait peur que
je me perde là-dedans, que nous ne puissions plus nous
réconcilier après. Quant à moi, je pense que ce que je
cherchais dans ce genre de défis ou d'autodafés, c'était
une seule chose. J'étais intimement convaincue que si
j'arrivais à aller jusqu'au bout avec une autre femme, je
réussirais à franchir le seuil psychologique qui me
séparait de son passé et de son monde. Je réussirais
enfin à coucher avec sa femme. À accepter ses seins
devant moi, à être aussi folle et avant-gardiste pour
pouvoir renverser sa chair, lui apprendre le plaisir et lui
créer un monde. Participer à sa descente à Montréal, à
sa joie d'enfin rejoindre le dieu de son jeune âge, de se
laisser aller sur un tremplin où elle ne connaissait
absolument rien, à part le beau regard de son époux.

Même la langue, elle n'en connaissait que quelques mots. « Est-ce qu'elle pourra prendre le bus toute seule pour te rejoindre là où tu travailles ? », lui demandai-je. Amran avait dû à plusieurs reprises faire le tour de l'île en métro afin d'aider sa belle-sœur à descendre la poussette de son neveu, faute d'ascenseur. « Est-ce que tu devras prendre une pause à ton travail pour pouvoir l'aider à monter dans le bus qui l'amènera chez le dentiste ? Et pendant qu'elle fait son nettoyage ou qu'elle se fait plomber une dent de sagesse, nous de notre côté on prendra d'assaut votre appart et on baisera furtivement jusqu'à ce que le téléphone sonne ? C'est ça que tu me proposes ? »

Le regard d'Amran à ce moment. Je m'en souviens dans les moindres détails. Il est toute tendresse et culpabilité. C'est le début. C'est l'ébauche de ma première crise. Elle s'éteint aussitôt. Je me promets de ne plus éclater de la sorte, de réfréner mes mots et ma colère. Je me promets de la réduire au silence, tout en essayant d'aller un pas de plus dans nos parties amoureuses. Parfois on est même descendus très bas. On s'inscrivait sur les sites de rencontres et on se choisissait de fillettes Barbie qui se laissaient séduire par le charme d'Amran. Dès qu'elles entendaient qu'on voulait tout simplement pimenter notre vie érotique, elles nous raccrochaient au nez. « Cherchez ailleurs » était systématiquement la réponse.

Définitivement, on n'était pas des experts. À vrai dire, on ne la voulait pas tout à fait, l'expertise. Amran avait peur de me perdre. Moi, j'avais peur qu'au lieu d'endormir mon désir de vengeance et mon mal de vivre, cette expérience les ramène, au contraire, plus violemment encore à la surface.

J'ai tout fait pour essayer de m'habituer à cette situation. Sa photo de mariage, lui en frac de premier violon, trônait toujours sur la console de sa télé. Parfois, pendant qu'on faisait l'amour, elle était prise par des secousses violentes ; Amran ne s'en rendait pas compte. Lui par contre, il était pris à découvrir des positions inhabituelles, à se moquer du *Kama Sutra*. « Aujourd'hui on a découvert la trente-cinquième façon de faire l'amour », disait-il. Le visage de sa femme lui souriait sagement depuis la console pendant qu'il pérorait sur la conspiration planétaire du *Da Vinci Code*, sur le rôle d'Al Pacino dans *Godfather*, son film préféré, ou sur les remarques de Dieudonné. Il avait une éloquence hors du commun, rien à dire, et des trajets de vie desquels il ne se défaisait pas.

Je devais changer de stratégie. Aucune explication ne pouvait le toucher. Il acquiesçait. À chaque fois que j'éclatais, il me disait tout simplement : « Je te comprends bébé. » À chaque fois que je hurlais : « C'est un cadeau empoisonné. J'espère un jour pouvoir me libérer, sortir de cette cage », il me disait : « De quelle cage parles-tu ? Il n'y a rien de plus fort que notre amour. » À chaque fois que je lui déversais ma colère, en lui disant : « Arrête de me parler de ton frigo, de l'appartement que tu vas louer pour vous deux près du métro Villa Maria, dans ton quartier préféré », il rétorquait : « Il n'y a rien de plus beau que ton visage empourpré par la rage. Tu es beaucoup plus belle comme ça, troublée… Je ne te laisserai jamais partir. Désolé si je ne peux rendre ta situation plus facile. »

Il voulait me prendre par la main jusqu'au bord de l'abîme et là, me laisser chuter seule ; lâcher prise ; changer de ton ; tourner la page.

Je devais absolument changer de stratégie. Lui faire ressentir les choses que je ressentais, moi. Sa pensée était viscérale. Il était incapable de se mettre à réfléchir. Sa réalité représentait ce qui était potentiellement capable de lui faire mal.

J'ai remporté alors ma petite, première, victoire. J'ai laissé échapper un cri de surprise quand le coin chiffonné d'une vieille photo du père de mon fils s'est coincé dans le zip de mon sac à main. J'ai joué le flagrant délit ; j'ai joué la honte et la surprise. Le lendemain, la photo du mariage n'était plus là. La photo de sa femme et de sa mère, qui s'étaient embrassées dans une union infranchissable, n'était plus sur son *iPad*, non plus.

J'avais donc raison. Tant qu'il ne ressentait pas la portée de ses actes, Amran était incapable d'y réagir.

Je pense qu'au-delà du territoire interdit de sa famille, l'empathie de mon homme se réduisait à zéro. Là, il n'y avait que de la réaction. Il devait être provoqué pour réagir. Il devait passer par des épreuves successives pour pouvoir revenir sur ses pas. Il ne voulait pas faire le saut vers l'avenir.

Il était là, avec moi. Et moi, je me débattais dans ma belle cage empoisonnée par une violence croissante.

Dans le jeu de l'action et de la réaction, j'étais allée trop loin. Je voulais qu'il me rejette. Qu'il mette fin, sans possibilité d'appel, à cette situation intenable. Qu'il soit le premier à me dire : « Va te faire foutre, espèce de poufiasse. » Je lui ai donc concocté une histoire maladroite de trahison, avec une fille que j'aurais draguée lors d'un de mes partis d'intellos, comme il se plaisait à les appeler ; à qui j'aurais déversé des fictions littéraires ; que j'aurais serrée dans mes bras pendant qu'on dansait ensemble, collées l'une à l'autre, sur une musique lascive et explosive ; une fille que j'aurais embrassée passionnément dans les toilettes ; j'ai dû m'arrêter. J'ai vu le sang lui monter aux tempes et les paumes s'agiter dans un mouvement spasmodique. J'ai eu peur qu'il me gifle. Il me siffla sur un ton enragé : « Si jamais on doit se séparer un jour, il faudra qu'on le fasse en pleine dignité. Ne fabrique plus ce genre de conneries. On n'a pas besoin de se tourner le dos et de se détester pour toujours. Montre-moi du respect. »

Visiblement, je n'étais pas une bonne actrice. Ma méthode n'a donc pas donné les résultats escomptés.

La sienne était bien plus simple : chevauche la femme, soumets-la à toutes les épreuves possibles et teste son abnégation. Sa femme avait réussi le test, tout comme les autres femmes qui venaient de là-bas. Le test de la patience. Attends et gagne. Ton prince charmant, fraîchement sorti des bras d'une des femmes de son harem, celle avec qui il avait négocié sa liberté. Le fait qu'il retourne chez toi est la preuve la plus éloquente qu'il n'a jamais été prêt à la négocier. Ses règles n'acceptent pas qu'il change d'avis, qu'il fasse demi-tour ou qu'il reporte ses décisions. « Si maintenant je fais marche arrière, je vais me faire trancher la main. Je suis pris dans un mécanisme qui ne connaît pas de faute. » La moindre faute dans cette mécanique va te morceler, te purger, te purifier. « La moindre faute et je vais me faire exploser la cervelle. Comment veux-tu que je parle à ma mère ? Sur quel ton veux-tu que je m'adresse à elle ? Les explications psychologiques n'ont jamais existé entre nous. Un homme qui n'est pas capable d'assumer le fardeau de la vie n'est même pas digne de ce nom. C'est tout. Il n'y a pas de négociation. »

Le fardeau qu'il posait sur mes épaules, mon épreuve capitale était le fait de pouvoir accepter le paradoxe, l'insensé de cette situation et de continuer à l'aimer tout de même. Si j'étais capable de me laisser brûler l'épiderme et les terminaisons nerveuses, d'accoucher sans péridurale, de baisser les yeux ; de ne pas faire cas de la souffrance tout en supportant les défis de la vie – là oui, peut-être, je pourrais être meilleure qu'une femme kabyle. Jusque-là, mes commentaires acides, mes remarques obliques, mes regards insistants me rendaient coupable d'insolence. Le rire à gorge déployée, voyons donc. La barre était placée trop haut. J'ai fait tous les efforts possibles pour devenir une femme kabyle.

C'est à ce moment-là que sa femme, en pleine maîtrise de son rôle de nouvelle mariée, devint soudainement une femme occidentale. Ils eurent une petite chicane. Elle ne lui montrait pas suffisamment de respect. Il ne voulait pas me parler de l'incident. Il coupa court à la conversation et pendant deux semaines il ne lui donna plus de nouvelles.

C'était la première fois qu'il mettait une distance entre lui et son monde. Je ne l'encourageai pas. Je ne le décourageai pas non plus. Il n'était pas heureux. En proie à ce nouvel espace, il avait complètement perdu ses repères. J'avais beau le soutenir et lui proposer de nouvelles recettes de vie, tant qu'il n'était pas entouré et admiré par les siens, son existence n'avait pas de sens. Accroché à moi, il devenait de plus en plus jaloux, de plus en plus possessif, contradictoire et perdu. J'avais hâte qu'il reprenne le dialogue avec sa femme pour qu'il puisse retrouver son équilibre dans notre relation. Ce qui s'est effectivement passé deux semaines plus tard. Sa femme et la mère de celle-ci sont allées rendre visite à la mère d'Amran au bled. Elles l'ont implorée, conjurée, manipulée, se sont arraché les cheveux pour qu'elle convainque Amran de revenir sur ses pas. Une autre semaine de négociations. « D'accord, se rendit enfin Amran. Mais c'est la dernière fois. Si elle me manque encore une fois de respect, c'est fini. Cette fois-ci pour de bon. »

J'étais le témoin silencieux de leurs échanges pathétiques. Je ne m'en suis pas mêlée. C'est à ce moment-là que j'aurais pu tout avoir. Pourquoi n'ai-je pas bougé ? Il devait y avoir une raison plus profonde, enfouie dans les derniers retranchements de cette histoire.

C'est à cette époque aussi qu'il faillit ne pas se rendre à la circoncision de son neveu parce qu'il voulait passer plus de temps avec moi. C'était le moment où il était le plus loin de son monde. Il était entre mes mains. Et pourtant...

Il n'était pas le seul à s'être aménagé un harem. Les hommes qui se bâtissent des harems ne peuvent jamais arriver à une entente entre eux. Amran avait passé une entrevue chez un de ces bâtisseurs de harem. L'éthique professionnelle l'obligeait à accueillir Amran dans ses chambres capitonnées. De jeunes et belles femmes s'occupaient de l'accueil. Longues jambes, longs cous, long regard. Ce n'était pas du tout un emploi en publicité, c'était un emploi en séduction. Il avait beau déployer tout son savoir en la matière, le maître en titre ne l'écoutait pas. Tout au long de leur tête-à-tête professionnel, le petit félin en disgrâce avait scruté ses boutons, le nœud de sa cravate, les boutonnières et les cosmétiques d'Amran. Le dirigeant devait être allergique aux parfums forts ; sinon on ne peut expliquer son geste de recul à chaque fois qu'Amran étalait ses armes de persuasion devant lui. Le mâle alpha devant le mâle alpha. Le jeune mâle veut lui aussi se construire son harem. Mais il n'est pas encore en position de le faire. C'est pourquoi il a besoin d'un allié pour cette bataille. Quand le temps de la paix viendra… C'est là qu'on pourra voir si ce n'était qu'une lutte de survie ou bien une lutte d'amour.

Amran n'a pas passé l'entrevue. Deux mois après, une jeune et pétillante blonde tortillait ses fesses en lui entrouvrant la porte du directeur et en lui annonçant, survoltée, que l'agence de publicité avait un nouveau projet à mettre sur pied, un nouveau défi. « Monsieur le Directeur vous a convoqué pour que vous lui fassiez une analyse du potentiel de développement de la compagnie. » Il avait envie de foutre le camp, de cracher dessus et de déguerpir. Mais il ne le fit pas. Il ne pouvait pas se permettre ce luxe. Le lendemain il devait envoyer le premier montant d'argent que lui et ses frères s'étaient mis d'accord pour acheter ensemble une maison dans la ville d'Alger.

Il y a longtemps, il avait renoncé à la danse parce que la danse rendait ses conquêtes trop faciles. « Si j'avais persisté sur ce chemin, je ne t'aurais jamais rencontrée, toi », disait-il. Et parce qu'il n'avait plus envie de s'exposer en plein jour ; il avait plutôt envie de tirer les ficelles dans l'ombre. La nouvelle qu'il avait commencée alors était une vie sans débauche. Grâce aux outils techniques dernier cri, il pouvait tirer les ficelles sans que personne ne s'en aperçoive. Plus il avait du visage, plus les gens, surtout les hommes, le dévisageaient. Les femmes se sentaient troublées par lui. Les femmes, quel que soit leur milieu, lui tombaient dans les bras.

Il ne se révoltait plus. Il se mettait juste en colère. La révolte était un luxe. Qui a grandement coûté à son ami Aziz, retourné au bled après de longues années d'errance à travers plusieurs villes de France, où il avait exercé la révolte et l'insouciance. Il avait payé cher, le beau gosse aux grosses hanches. « Il n'y a personne de plus viril au monde, tu te souviens, mon pote Aziz ? » « Personne à part moi. » « Bien sûr, à part toi, cela va de soi. » Les deux coureurs de jupons ont emprunté des chemins différents. Aziz est resté en France sans que jamais il ne réussisse à se construire une vie dans ce pays. Il ne voulait pas non plus épouser une Française, il ne voulait pas se soumettre aux rigueurs du salaire minimum. Il avait choisi la révolte. Cinq ans plus tard, Amran l'avait retrouvé dans son village natal, lors de son mariage. Ils se sont vus une fois et ensuite Aziz ne lui a plus répondu au téléphone. La révolte ne l'avait pas mené trop loin. De plus, il était un gars qui venait d'une famille assez riche, donc il ne connaissait pas du tout la règle : « Arrache ou meurs. »

Aziz ne connaissait pas l'agonie, la faim et le désespoir. Il ne connaissait pas la vie. Il est retourné au bled, d'où il regardait maintenant le monde d'un air blasé. Amran préférerait qu'on lui tranche une main que de retourner là-bas. Il serait prêt à tuer pour ne pas devoir le faire. C'est comme ça qu'on bâtit des empires. Il avait posé la première pierre à cette construction – son mariage. À présent, c'était la deuxième qui lui manquait – un vrai boulot, un salaire décent, un contrat à durée indéterminée. « Pourquoi me méprises-tu ? Pourquoi tu me prends pour un primitif ? », me demanda-t-il au mois de mai quand je regardais, interdite, sans pouvoir articuler le moindre son, ses décisions intrépides en vue de son bonheur. « Tu étais en train de construire ton bonheur, tout allait bien et là, voilà l'ouragan qui te gifle… et tu ne sais plus quoi faire. » « Tu te prends pour un ouragan, ma foi. » « Pour une tornade au moins, qui a chamboulé ton bonheur et tes projets de vie faramineux. » « Sache que je ne m'y attendais pas. » « Sache que moi non plus je ne m'attendais pas à être devant quelqu'un que mes paroles n'atteignent pas du tout. Je ne peux pas te voir accepter tous les désirs de ta famille. Ils n'ont pas le droit de regarder tes draps. Ils n'ont pas le droit de t'imposer leur bonheur. »

Ce fut ma première défaite. Leur maison dans la ville. Trois jours j'ai essayé de le dissuader d'envoyer son crédit étudiant pour l'achat d'une maison à laquelle il devait participer à partie égale avec ses frères. J'ai eu beau user de tous les arguments possibles – tu perdras ta liberté, tu seras lié à ton boulot à vie ; tant que sa mère songeait qu'on récupère les acquisitions de la famille, il ne voulait pas la contredire. Il envoya l'argent. Je fermai ma bouche.

À cette même époque où il perdait définitivement son pote Aziz, moi aussi, j'ai connu ma part de déception. J'ai eu moi aussi une amie avec laquelle j'ai concocté des rêves démesurés – fonder une compagnie de danse qui ne présenterait que la crème de la crème – des spectacles fous et visionnaires. On s'en foutrait pas mal des critères commerciaux. On élèverait nos enfants sur une île tropicale, communiste et rétrograde, parce que toutes les deux on aimait en quelque sorte le communisme ; ça nous rappelait notre enfance. On partirait ensemble sur la route du sel, dans un pays africain où Al-Qaeda défilait en toute horreur ; on écrirait sur les révolutions. C'était notre premier texte rédigé ensemble – *Maternité et révolutions*. On se laisserait emporter par les ouragans. Ce sont précisément les cataclysmes naturels qui renforcent la miraculeuse solidarité humaine, le sens de la communauté. Ici, en ce maudit monde, disait mon amie à l'époque, on tire le rideau et on étrangle. Sans justification, sans complexe. On s'en tape éperdument. Pas le temps de se morfondre. Dégage. Dégage. Dégage. Elle avait passé la frontière canadienne avec un communiste. Elle connaissait l'amour. On écrirait ensemble un livre maudit, un livre noir, un livre banni – *Sept règles de survie en Amérique du Nord*. Pourquoi survie ? Parce que la survie y est tout.

Pour des raisons de survie, cette amie m'a raccrochée au nez un jour. Elle se sentait trahie. Un jeu d'influence que j'aurais pu exercer. Un jeu de pouvoir que j'aurais pu remanier. Un scénario dans lequel j'aurais dû embarquer, d'après elle.

Elle n'est plus jamais revenue sur ses pas. Pas d'explication, pas d'excuse, pas d'interprétation. Un couvercle de béton qui se referme et la vie qui doit recommencer à zéro. L'aurore réapparaîtra. De l'eau de rose, m'écrivit-elle quand je lui ai demandé d'entendre ma version. Arrache et déguerpis. Défonce et dégage. Sinon tu perdras la tête.

Mais la vie est chienne parfois. Je l'ai retrouvée par hasard dernièrement. Elle voulait à tout prix me faire comprendre que j'étais moins que rien pour elle. Même pas besoin de rideau. La survie a ses règles implacables.

Moi, j'ai appris par cœur mes sept règles de survie. Quand le destin ou le hasard, louée soit la sagesse de mon amie Ava, te frappe de toutes ses forces, il n'y a qu'une seule solution : tortille tes fesses dans une danse insolente et brutale. Si ton homme te quitte, cherche-t'en un autre. Si ça ne marche pas avec un premier, ça marchera assurément avec un deuxième. La première bite t'enchaînera sans espoir dans l'ancienne histoire. La deuxième te délivrera. Il n'y a pas d'autre option. Ne joue pas franc jeu. Seuls les timides, les précaires et les couilles molles jouent franc jeu. Tous les autres se faufilent. N'essaye pas de me dissuader. Attendre l'imprévisible, c'est de l'eau de rose. Je vais écrire, moi, sur ces sept règles. Elle va sûrement m'intenter un procès pour lui avoir volé l'idée. Elle est une femme de fer, cette amie. Elle peut, à elle seule, faire la guerre aux Balkans. Elle a écrit contre l'obsession Limonov. À ses yeux, je suis moins que rien.

Mon image est tachée et je m'en fous. Amran ne peut pour rien au monde me comprendre. Il prétend appartenir à mon univers ; il veut tout comprendre. Mais il n'arrive pas à envisager comment je peux accepter que quelqu'un me rabaisse à ce point. Je n'essaie pas de le convaincre. Il ne connaît pas la dérision. Mon amie non plus. La dérision, c'est ce qui abîme notre image. Ce qui nous sauve, parfois.

Amran veut que je prenne ma revanche. Mais lui non plus, il n'a rien pu contre Aziz. C'est sa blessure, son incompréhension, son point aveugle. Il aurait aimé l'avoir trahi en premier. Moi, j'essaie juste de ne pas

149

diaboliser cette histoire. Les démons se retournent contre ceux qui leur ont donné vie. Un jour j'oublierai. Rien de plus facile.

On était déçus sur tous les plans. J'essayais de prendre la part de tous ceux qu'Amran détestait : le bâtisseur de harem, son gérant, la race jaune, mon amie et son instinct de survie, son frère.

Je faisais semblant de ne pas remarquer son argent qui s'écoulait dans la maison où il allait passer ses vacances à Alger, avec sa femme ; son frère qui vérifiait ses comptes en l'apostrophant et en lui disant de ne pas dépenser autant avec une femme qui, un jour, le laissera pour un autre Algérien, plus jeune.

On peut me reprocher cet aveuglement imposé. Mais moi, je sais une chose : rien n'est décidé d'avance. On ne peut pas savoir, jusqu'à la dernière seconde, ce qui pèsera finalement dans la décision d'un homme. De quel côté la balance penchera. Oui, je sais que son amour et son devoir envers sa mère, la famine qu'il a connue dans son enfance, son père absent, son père mort quelques mois après sa naissance, la circoncision de son neveu – à laquelle sa mère n'a pu assister parce que son frère avait décidé à la dernière minute qu'elle se déroulerait dans un hôpital, ici à Montréal, et non au bled, avec tout le faste requis –, ses serments envers sa femme, l'humour et le sarcasme de Dieudonné ; voilà, je suis pleinement consciente que la balance se moque de moi. Et toutefois, j'ai la conviction inébranlable qu'un homme ne peut pas tout connaître sur lui-même, se donner sa propre mesure avant qu'il ne passe par une épreuve concrète. C'est là qu'il saura effectivement de quoi il est capable. C'est pour cela que j'attends.

Je lui dis : « Si, après quelques semaines, tu te rends compte qu'elle peut te combler à tous points de vue, promets-moi de ne plus jamais me contacter ; pas le moindre mot. Promets-le-moi.

– Je le ferai pour toi, me promit-il. Même si ce sera la mort dans l'âme. »

Son mariage qui se profilait à l'horizon était le pire cauchemar. Je me trouvais pourtant capable de résister à ce cauchemar pour voir où et quand exactement l'oscillation de la balance allait faire tout chavirer.

En attendant, il continuait à déchirer mes bas, à explorer ma résistance à ses coups frauduleux, à secouer le plancher de son appartement et à se faire engueuler par son voisin qui avait porté plainte auprès de la propriétaire de l'immeuble pour la débauche inacceptable de l'Arabe qui vivait au dernier étage et qui lui gâchait le sommeil. Deux jours après, la propriétaire apparut, sous prétexte d'inspecter l'état de l'appart, en jetant des regards lascifs aux égratignures d'ongles, aux traces de rouge à lèvres qui apparaissaient sur les murs. Elle se présenta donc en tenue dérobée, le décolleté jusqu'au nombril et les bas striés, en lui faisant des à-propos sans équivoque. Il fit semblant de ne rien remarquer et la femme lui demanda de quitter l'appart le premier juillet prochain, chose qui ne l'importuna pas, vu que cela entrait déjà dans ses projets.

À la même époque, on avait entrepris l'avant-dernière conquête avant notre proie de luxe, la Marocaine. C'était le tour de l'Ukrainienne.

Il m'avait parlé d'elle. Il me parlait d'ailleurs de toutes les femmes qui pourraient potentiellement m'intéresser :

l'Australienne avec son bel accent, la Russe avec ses dorures et son *botox*, la soprano avec son nez extravagant. La petite Ukrainienne quant à elle me plaisait particulièrement par son innocence. La plupart de ces femmes, si je les avais rencontrées par hasard dans la rue, je n'aurais pas parié sur elles. Mais en présence d'Amran, elles gagnaient en substance inhabituelle ; un trémolo de leur chair et de leur regard se mettait en marche et l'espace se remplissait de phéromones. J'adorais les voir tiraillées entre leur désir de coucher sur place avec mon amant et leur regard déconcerté à se voir courtisées par la femme de celui qu'elles désiraient. Je goûtais à fond ce mélange d'horreur et d'excitation dégagé par nos propos insinuants. Amran n'avait jamais joué sur ce terrain. C'est pour ça qu'il me donnait carte blanche.

C'était une soirée de début novembre où il m'attendait devant le *Pharmaprix* sur Côte-des-Neiges. En m'approchant, j'ai vu qu'il me montrait du regard une frêle dame qui faisait la queue pour le bus 165. Sans la regarder, il me dit : « C'est elle l'Ukrainienne dont je t'ai parlé. Je pense qu'elle finit ses rondes de soir. Je me souviens qu'elle m'avait raconté qu'elle travaillait les soirs et les nuits à l'Hôpital Juif. » La plupart des femmes qui venaient lui rendre visite à son centre d'impression lui racontaient leurs histoires. Elles devenaient pour un instant belles et désirables. Les yeux de sable d'Amran leur donnaient envie d'exister.

On la suivit dans le bus. On l'encercla. Elle était visiblement gênée. Elle ne savait pas à qui s'adresser. Elle était timide devant Amran et encore plus timide devant moi. Avec Amran, elle discutait de son boulot. Avec moi, elle essayait de s'esquiver, de s'estomper, d'éternuer. J'avais l'impression qu'elle allait toujours éternuer quand je lui posais une question. Je lui disais que les filles genre Milla Jovovich, c'était notre spécialité. Est-ce qu'elle avait vu le film de Luc Besson ? Non, elle ne le connaissait pas. Elle n'a pas vu un film depuis des mois. Elle avait une famille à entretenir ; elle travaillait dur et était en train de perdre le sommeil. Les soucis, vous savez… Oui, mais le plaisir, la sérotonine, les bras d'un bel homme, les baisers d'une belle femme peuvent bien vous détendre. Elle commença à se sentir menacée. J'adorais cette posture, ses yeux de victime à un pas d'appeler la police. La seule chose qui l'en empêchait, c'était ma tenue de primadonna, mes talons *high class* et les manières impeccables d'Amran. Elle avait peur de se tromper et de se faire ridiculiser.

On la suivit. Elle pressa le pas tout en essayant de demeurer calme. Elle nous dit deux ou trois fois bonne soirée, bonne nuit, bon travail, mais nous continuâmes à la suivre en lui souriant de travers et en ne disant rien. En s'approchant de son immeuble, elle se mit carrément à courir et nous fîmes volte-face après le claquement violent de la porte.

La scène suscita un fou rire entre nous. C'était bon de se sentir immoral, impudique et accrocheur. C'était bon de ne pas connaître la peur. C'était bon de ne pas devoir consommer. Draguer et résister.

On se disait même que ce genre de braconnage nocturne n'aboutirait jamais à quelque chose.

On ne savait pas comment continuer. Comment mettre le point final. Au comble de l'excitation, je voulais me retirer et le contempler en train de faire l'amour à une autre. Pour une fois, je me disais que si

153

j'étais capable de supporter, les yeux écarquillés, qu'il déploie devant moi sa tendresse, sa rage et son mépris, je pourrais à la rigueur assister au scénario inimaginable de la venue de sa femme. C'était plus qu'une circoncision, une amputation ou une excision à vif. À cœur ouvert. J'étais préparée à franchir le seuil si jamais la situation se présentait.

À la même époque, Amran trouva un nouveau boulot. Il avait prié trois jours pour que son souhait s'accomplisse. Il s'était dit : « Si, en sortant du métro, l'étoile que je vois au-dessus de ma maison brille plus que d'habitude ; si, à la dernière station, je ne rencontre personne de mon village ; si enfin, pendant les cinq minutes suivantes, la femme de ma vie m'appelle, alors oui, le poste sera à moi. » Les trois signes s'accomplirent. Il avait failli reconnaître un visage de son village en s'approchant de la dernière station de métro, mais non, le visage dissimulait un Arabe pur-sang et non un Berbère, comme il se plaisait à s'appeler. Il était sauvé.

À peine trois minutes écoulées, me voici qui l'appelle en déployant des tonnes d'énergie pour le consoler, le rassurer, l'amadouer. « Pense encore une fois mon chéri à la tragédie de Port-au-Prince. Nous, on est choyés à vaciller entre ambition et déception et non entre famine et meurtre. » Je me souviens de son visage quand, en feuilletant ensemble un grand album présentant de beaux Noirs du Sahara occidental, il avait détourné le visage, presque dégoûté : « Montre-moi quelque chose de différent. La lutte pour la survie, j'en ai assez. » Mais moi, je suis liée à un tel visage noir, un Ivoirien. Il m'avait présagé il y a longtemps, quand je n'avais pas encore le moindre soupçon de ce qu'allaient devenir mes trajets en ce monde, que dans cinq ans, j'allais avoir un fils, dont le père était français, que sa venue au monde causerait aussi ma séparation de son père ; et que, bien d'années après, j'allais avoir un deuxième fils. Il ne m'avait rien dit sur son père. Il m'avait juste dit que ce garçon allait être mon héritier à moi ; tandis que le premier allait emprunter des voies mystérieuses le poussant aux quatre coins du monde, le deuxième, né d'un père aux beaux yeux de sable, allait rester près de moi, pour soigner mes vieux jours. Ce deuxième garçon serait-il le fils du Berbère ? J'aimais mon unique fils plus que tout au monde.

« Juste à temps » vint sa réponse. Sa voix était joyeuse, radieuse. « C'était le troisième signe que j'attendais, le plus important. Ta voix. J'aurai donc le poste à la compagnie de publicité dont je t'ai parlé. Je l'aurai, j'en suis sûr. »

Il se mit sur son trente-et-un. On ne pouvait rien lui reprocher. J'eus la prémonition que j'allais le perdre. Je n'avais pas connu trop souvent la jalousie ; avoir envie d'étrangler et en même temps devoir se contenir, avaler les mots, les invectives et les décharges.

À l'entrevue, une belle femme l'accueillit, professionnelle jusqu'au bout des ongles, les fesses rebondies. Les tests et les discussions se passèrent tranquillement, doucement, aimablement. Elle aimait faire des compliments, donner de petits cadeaux pour encourager ses subordonnés. Elle sursauta en le voyant. Elle était ravie qu'il intègre son équipe. Deux jours plus tard, il eut la réponse positive. Deux semaines plus tard, elle lui posa des questions du genre : serait-il prêt à se marier avec une femme occidentale ? Comment trouvait-il le Canada ? Pourrait-il partager son expertise acquise aux Presses universitaires de Lyon ?

Est-ce que ce nouveau boulot n'allait pas entraver nos projets de voyager à Chicago ? « Non, pas du tout », avait-il dit avant que son frère ne le convainque de reporter de quelques semaines ce voyage. « Il faut que tu établisses ta réputation bien comme il faut au boulot, et après, pendant les vacances de fin d'année, tu auras toute la liberté de partir. Ne rate pas le début. Concentre-toi. Choisis. » J'ai failli lui faire une de mes fameuses crises. C'était un projet qu'on avait préparé dans les moindres détails, il y a des mois déjà. Le visa, l'attente, l'idée de passer quelques nuits dans un hôtel de luxe, le bus, les passagers, l'Amérique, les gratte-ciel profilés sur le ciel du matin, les officiers à la douane – c'était plus que l'aventure de sa vie. Son frère avait aussi demandé un visa au début de son séjour au Canada ; il l'avait obtenu, mais sans jamais mettre le pied sur le sol américain. *Tim Hortons*, les études, la montée sur l'échelle sociale ; tout cela l'avait complètement accaparé.

Maintenant il voulait qu'Amran emprunte le même trajet. Les photos de Chicago seraient plus qu'une défaite personnelle.

« On part maintenant ou jamais, je lui dis. Ce voyage ne peut être reporté. »

À contrecœur, il acquiesça. Je voulais contredire son frère. Je voulais qu'il commence à me défendre devant sa famille. Entre-temps, il avait concocté des histoires des plus farfelues pour pouvoir justifier auprès de sa famille ce voyage en compagnie d'un ami, collègue à l'université.

Pour l'instant, je ne voulais pas le convaincre de renoncer aux excuses. Il était suffisant qu'il parte avec moi dans le premier voyage de sa vie.

Il n'avait jamais voyagé. Jamais n'avait connu ce sentiment de liberté que seul le voyage peut fournir. Il ne connaissait pas non plus les longues balades. Quand je lui avais dit qu'à l'époque où je travaillais sur la rue University, j'avais l'habitude de traverser tous les matins le Mont-Royal pour me rendre au boulot, il m'avait regardée d'un drôle d'air. Il avait pris le train en France, quelques fois l'avion pour retourner chez lui au bled ; le bus qui l'amenait à l'université. L'avion qui le transporta à Montréal. Et l'avion de retour, celui de son mariage.

Mais il ne connaissait pas le voyage. C'était son premier. Avec moi.

Nous prîmes le bus. Il était extrêmement tendu. Il ne pouvait pas dormir, tellement il était excité. Comme on l'avait pris à la dernière minute, on n'avait pas de place l'un à côté de l'autre. Personne ne voulait nous céder la sienne. Ni l'homme à côté de moi, assis confortablement à la fenêtre, ni la femme obèse à côté de lui, qu'Amran remettait à l'ordre chaque fois qu'elle dépassait sa petite moitié de chaise envenimée. On ne pouvait respirer l'un sans l'autre. On était enlacés ; on dormait bouche à bouche, souffle à souffle ; on regardait la nuit dehors. La vie nous appartenait. Je me demande si j'aurais aimé autant la vie avec lui s'il n'y avait pas la menace qui défilait devant mes yeux. J'étais la maîtresse de sa vie. Si je lui avais dit de continuer notre voyage jusqu'à l'autre bout de l'Amérique, jusqu'à l'Océan Pacifique, il aurait peut-être hésité une seconde, mais il m'aurait suivie. Est-ce que je pourrais perdre ce pouvoir sur lui ? « Jamais mon bébé, me disait-il. Il m'est impossible de concevoir la vie sans toi. Ne doute jamais du pouvoir de séduction que tu exerces sur moi. Aucune femme ne m'a fait un tel effet, je te le jure. Jure-moi sur la tête de ton fils qu'il n'y a personne dans ta vie à part moi. Parfois j'ai du mal à y croire. »

Je jurais sur la tête de mon fils. Qui était resté à Montréal avec la dame qui s'était occupée de lui quand il était bébé, à la petite garderie dans le milieu familial où il avait grandi. Mon fils ne m'en voulait pas. Il aimait la dame. Elle était sa gardienne, sa grand-mère. Pourquoi m'en aurait-il voulu ? Un jour il partira de chez moi. Il arpentera le monde. C'est ce que l'Ivoirien m'avait prédit. Avec un tel héritage, pas de surprise.

Amran me demandait de lui apprendre à nager, à faire du vélo, à skier. Surtout à nager. Personne ne lui a jamais appris cela. L'image de son père absent, tout comme celle du père absent de mon fils, même si c'est pour des raisons différentes, m'attendrit à tel point que je dus cacher mon visage pour qu'il ne voie pas les larmes s'écouler sur mes joues.

Amran aimait son neveu au-delà de toute logique. Il aimait aussi mon fils. Ils jouaient souvent ensemble. Il aurait fait un bon père.

« Est-ce que tu pourrais vivre ici, dans ce coin perdu de la planète ? Moi, jamais.

– Moi non plus. Je suis une citadine jusqu'à ma substantifique moelle. »

Nos mots, nos ébats, nos baisers, nos souffles entrecoupés commencèrent à un certain moment à embarrasser sa voisine qui ne pouvait pas se laisser tranquillement bercer par le sommeil. Après quelques remarques hargneuses, elle nous céda enfin sa place et se mit à côté de mon voisin qui ronflait paisiblement. L'accalmie s'installa.

On passa toute la nuit à se raconter des histoires d'enfance, à rigoler, à s'embrasser et à imaginer en détail les lieux touristiques qu'on allait visiter. Amran avait à peine dormi une heure.

Le matin, les gratte-ciel se profilaient à l'horizon ; toute cette sculpture incandescente dans la lumière transversale du soleil nous coupa le souffle. On avait envie de rester, de ne jamais retourner à Montréal. Je pourrais prendre mon fils et vivre dans un endroit où il n'y a plus de pied kabyle. Le frère d'Amran serait loin de là. Sa patrie, sa communauté, sa famille encore plus loin. Ici on pourrait commencer une nouvelle vie.

Il n'y a rien de plus banal que les mythes. Mais rien de plus fort non plus. Le mythe de l'Amérique, du renouveau de la vie, agissait avec la force d'une bombe.

On entra dans le premier *Starbucks*. Amran était époustouflé. Lui, venu du fin fond du monde, de son village dont personne ne connaissait le nom, il se trouvait au cœur du grand empire. Je ne cessais de parler. Il me dit : « Laisse-moi m'habituer à cela. Tu imagines ? Je suis ici. Je le suis, moi. »

Je m'arrêtai. C'était ça donc. Il a fallu deux heures pour qu'il puisse reprendre ses forces et sortir. Partir à la conquête.

C'était début décembre et il faisait un froid de canard. Le grand lac Michigan envoyait ses courants d'air et son gel majestueux. Mais nous, on ne ressentait rien. On se prenait en photo, on posait, on visitait *The Gold Coast*, *John Hancock Centre*, *The Art Institute*, *Millenium Park*. On filait à toute allure. On mangeait dans les *Deli* et dans les *McDo*. On s'était en revanche offert un magnifique hôtel de luxe. On avait hâte de s'y retrouver après la fatigue et le froid, et de recommencer notre aventure amoureuse.

La chambre ne nous déçut pas. Elle avait des miroirs partout. Une belle promesse. Il ne savait pas sur quoi se concentrer en premier. Sur l'amour ou sur les messages qui ne cessaient d'envahir sa boîte *Facebook* : la visite présidentielle, le pays des merveilles, le grand rêve accompli. Son énergie érotique était décuplée. On inventa d'un seul coup quatre autres positions qui n'existent pas dans le *Kama Sutra*. Un tel voyage valait son prix.

Il prenait soin de moi, il me donnait à manger. « J'ai davantage appris, depuis que je suis avec toi, que dans toute ma chienne de vie. Ne plus regarder les maisons des riches ; accepter de voyager avec la racaille de l'Amérique. Ne pas me soucier de leurs regards posés sur moi. Ne pas me soucier de ce qu'ils pensent de moi. Imagine, moi, qui détraquais toujours mes interlocuteurs avec mon regard. Laisser une femme prendre son plaisir sans que je sois obligé de prendre les rênes en main. Tu es la première femme que je laisse bouger sur moi. »

On avait une histoire qui attirait les regards. On était un couple inhabituel. L'homme kabyle et la femme slave – ce n'était pas une chose commune. Il explorait le *Chicago 'L'*. Ça n'avait rien à voir avec le métro de

Montréal. Les stations n'étaient pas conçues d'après des maquettes architecturales différentes. Elles n'avaient pas de personnalité, d'après lui. Mais elles avaient, et à quel point, beaucoup plus de vie. Les gens assis ou debout lisaient des livres, se bousculaient, parlaient des dernières expositions dans la ville, des derniers concerts. « Ça grouille d'intellos », me disait-il.

On se promenait dans la *Magnificent Mile* et on se bourrait de cochonneries. On cherchait une girafe avec des taches mauves, telle que mon fils la voulait. Il avait exprimé ce désir avant qu'on parte de Montréal. En plus de devoir lui chercher la fameuse girafe, je souhaitais lui fabriquer une histoire surréelle avec un magasin en train de fermer et la girafe collée à la fenêtre, qui implorait le gérant de ne pas fermer parce qu'elle attendait la mère d'un garçon qui vivait à Montréal ; elle allait passer sans faute. « Toute la journée, je me suis cachée sur la plus haute étagère pour qu'aucun petit garçon ne s'aperçoive de ma présence ici. Je suis restée ici jusqu'à minuit, attendant que la mère de ce garçon montréalais vienne me chercher. Mon ultime destination sera Montréal. Je connais très bien le visage de ce garçon. Je l'ai vu partout, sur de grandes affiches de pub, dans la ville. Une photographe de passage à Montréal l'avait remarqué un jour, elle a trouvé bien intéressants sa mine et son visage, et a amené avec elle depuis le pays des glaces cet instantané qu'elle exposait partout. » « Tu m'as énormément manqué mon fils. Ton visage me souriait partout. Dès que je suis passée à côté de la girafe pendue sur la dernière étagère du magasin de jouets, elle est venue me voir. » « Enfin, me dit-elle, je vous ai attendue toute la journée. Vous avez les mêmes traits, aux détails près, que votre fils. Prenez-moi avec vous à Montréal. »

Pendant que je racontais au téléphone cette histoire fabriquée à mon fils, Amran se mit à la recherche d'un parfum dont il avait entendu parler dans *Sexe autour du monde*, qui imitait invraisemblablement l'odeur de vulve. Du miel, de la pisse (les yeux fermés, les souvenirs envahissant les narines) – voilà les réponses que plusieurs personnes interviewées avaient données à la question de l'odeur qui persistait dans la mémoire après avoir inhalé l'odoriférant inconnu.

Déambulant d'un magasin à l'autre, Amran essayait aussi des chaussures, des chemises, des chapeaux, des *pulls* à des prix exorbitants. Il aimait les marques, les boutiques, le luxe. Il se sentait le roi du monde.

Pendant une de ces séances d'essayage, une fille au profil mexicain s'approcha de nous. Amran me fit un clin d'œil. On entama une conversation sur les spécificités culturelles, comme il se plaisait à les nommer. La fille nous posa des questions sur les circonstances de notre rencontre, sur nos deux pays d'origine, à propos desquels elle n'avait pas d'information. Elle se renseigna sur Montréal et sur le Canada. Elle se renseigna aussi sur l'hôtel où on avait séjourné, sur nos intérêts culinaires. Elle se renseigna sur tout. On était sûrs qu'elle allait nous rejoindre. J'avais envie de vomir. Je ne pouvais pas reculer. C'était moi qui avais en premier proposé ce jeu. C'était moi qui lui avais mis cette idée en tête. Et là, devant cette petite Mexicaine qui, semblait-il, nous proposait directement de l'intégrer dans notre partie à trois, j'éprouvais une sensation de néant. Je suppliais qui que ce soit qu'un accident ou un détail insignifiant modifie son avis. Qu'elle hésite. Qu'elle ne donne pas cours à cette lubie. Amran rigolait. Il n'avait rien contre l'idée. C'était, d'après lui, le grand cadeau que la ville de Chicago mettait à nos pieds. Il organisait déjà les détails dans sa tête, me faisant part de ses idées ; je voyais qu'il était aussi stressé que moi. Mais plus déterminé en même temps.

Elle nous dit qu'elle allait se dépêcher à la maison, qu'elle avait besoin de se faire belle pour la soirée. On lui demanda de nous attendre à la sortie du musée qu'on irait visiter entre-temps. Dans à peu près quarante minutes, le rendez-vous était fixé. À la sortie du musée.

« Mon fiancé sera ravi de faire votre connaissance » fut sa réponse. Amran fit une grimace de surprise. Moi, j'eus du mal à ne pas pouffer de rire. « D'accord. Mais faites vite, notre temps est limité. On ne sera que deux jours à Chicago. »

Une partie à quatre, ça ne nous intéressait pas du tout. Une fois tournés les talons et à l'abri des gros murs du musée, nous éclatâmes en rire. « Je n'ai aucune envie de gâcher ma soirée ici avec un couple insipide qui traverse notre route. Bon voyage. On ne viendra pas, tout simplement. Laisse-les nous attendre. De toute façon, ils n'ont rien de mieux à faire. »

C'est ce qu'on fit. Chicago, Montréal, fin fond du monde. On n'avait pas de temps à perdre. Notre temps était limité. Notre temps était dense.

Ramasse tout. La peur, le désespoir, la folie. Une deuxième chance n'existera pas.

On voulait prendre le bus jusqu'à Denver, on voulait partir, se faire oublier, se laisser manœuvrer par le destin. Ou du moins c'est ce que moi, je croyais. Il était à moi, heureux de vivre cette vie qu'il n'aurait jamais imaginée. Ce n'était pas un rêve, ce n'était pas une halte terminus. Enfin, quelqu'un que j'avais convaincu de suivre mes projets farfelus. Depuis que je suis ici, en Amérique, les sept règles de survie fonctionnent immanquablement. La survie, rien que la survie. Il y avait aussi un autre mot qui surgissait quand je serrais sa main. L'honneur. Mais quelle valeur pourrait avoir un tel mot devant la beauté de la vie que je lui avais montrée ? Il avait beau avoir les plus beaux muscles, le succès le plus fou auprès des femmes, la femme la plus sage qui l'attendait au bled, rien ne pouvait lui insuffler cette drogue plus forte que l'instinct de conservation. Il l'avait lui aussi, ce sens de l'aventure, ce désir de s'exposer, de défricher l'espace, les chairs et les attentes, de se placer au-dessus de tout. Tant mieux si on travaillait comme serveuse ou si on multipliait les paperasses dans un centre d'impression, on ne pouvait que danser sur les cendres de nos rêves déchus. On s'en fichait pas mal. Tant que les cris de plaisir qui sortaient de ma gorge s'étalaient sur toutes les routes de l'Amérique, la vie valait la peine d'être vécue. Tant qu'on tramait des projets irréalisables de s'installer à Chicago, de travailler dans la publicité et de fonder une compagnie de danse là-bas, d'établir un harem à l'algérienne et un royaume macho à la russe, rien ne pouvait nous empêcher de respirer la vie à pleins poumons.

Il avait peur qu'à force de goûter à fond les délices de l'amour, j'aie envie de connaître d'autres hommes. « Je n'accepterais jamais un troisième à notre festin, c'est ce qu'il me disait. Ôte cela de ta tête. » Jamais une telle idée ne m'aurait traversé l'esprit ; sa jalousie allait de pair avec ses idées sur la virilité. « Je sais très bien que je ne suis pas un cadeau. Il y a trop de choses qui tournent dans ma tête. »

Il avait une vision claire de son avenir. « Je ne voudrais jamais devenir comme mon frère. Je m'étais attendu à ce que je rencontre un homme plein de velléités pour la découverte, pour l'ascension personnelle. Et qu'est-ce que j'ai trouvé ? Quelqu'un qui depuis dix ans ne fait rien d'autre qu'échafauder sa retraite. Moi, j'aimerais donner matière de récit. Écris ce livre, *Le plaisir interdit*, et dédie-le "à cet homme mystérieux, venu de loin, qui avec sa langue fourchue"... Il faut absolument que tu écrives ce livre bébé. Il faut absolument que tu parles de nous. De cette violence qui s'empare de moi à chaque fois que je te fais l'amour. C'est la violence du désespoir. Je ne trouve aucune issue. Et pourtant je sais que j'aimerais être dans ta chair tant que tu seras en vie. Personne ne m'empêchera de venir te chercher. Personne ne pourra m'ôter mon oxygène. »

Il m'attendrissait par ces paroles. Il m'attendrissait aussi par ses projets irréalistes de s'établir à Chicago avec moi, de louer un studio là-bas, tu vois, au dix-septième étage ; il m'attendrissait par sa maladresse, par son air d'enfant perdu dès qu'il n'était plus dans mon champ visuel. Quand je l'attendais dans la rue, il revenait tout de suite me chercher, pour me dire à quel point je lui avais manqué. Il m'attendrissait aussi par son ignorance des règles banales de la grande fourmilière de Chicago. On se dépêchait pour accéder à la gare Centrale, le bus était censé partir dans quinze minutes et on ne la trouvait pas. Pris par panique, il fit signe à un chauffeur de taxi qui embarqua en hâte nos bagages dans le coffre de la voiture. « À la gare Centrale ! » dit

Amran d'une voix assurée. « La gare Centrale est juste derrière vous. »

On pouffa de rire. On s'est longtemps souvenu de cette histoire de désorientation citadine. Sa spécialité. Il ne reconnaissait pas les rues, les endroits, les codes et les marquages de l'espace qu'il traversait. Il avait besoin de se prendre en photo, de s'immortaliser devant le Belvédère du Mont-Royal (je pense qu'il l'a fait au moins six fois depuis qu'on se connaît), devant le Mont-Saint-Michel avant la « grande aventure américaine », comme il l'appelait, devant *John Hancock Centre*, devant les immeubles du Vieux-Port. Il avait besoin d'exister.

On renonça à notre projet de Denver. Le tour du monde et un enfant. C'était deux choses qu'on voulait absolument faire ensemble. Pour l'instant, le retour à Montréal. La vie était devant nous.

On a vécu, tout de suite après, une période d'accalmie. Mes crises contre sa jalousie. Les deux avaient cessé. Il arrêta pour quelque temps de regarder les hommes qui s'intéressaient à moi. Moi, je cessai pour quelque temps de me cogner contre mon cauchemar quotidien – son mariage imposé. On était heureux.

Mais il était aux aguets. Il se cherchait des raisons de colère. Il était convaincu que je le trahissais. Il était convaincu que je n'étais jamais là où je lui disais. La preuve irréfutable de ma trahison était mon désir insatiable. Une femme qui éprouvait autant de plaisir et qui exprimait sans relâche son désir ne pouvait se contenter d'un seul homme. Il était sûr qu'en secret j'en désirais d'autres. C'est bizarre, mais de mon côté, je voyais les choses différemment. La preuve inéluctable qu'il me désirait, moi, et qu'il ne cherchait pas ailleurs, c'était son désir qui se renouvelait chaque jour avec une force décuplée.

La fois où il m'a surprise, en sortant d'un parti d'intellos où il ne m'accompagnait jamais, faisant la bise à un de mes collègues, il éclata de toutes ses forces. « Pourquoi te laisses-tu embrasser de cette manière ? Je l'ai vu. Tu lui as touché le visage avec tes cheveux. Il doit avoir senti ton parfum. Ton odeur. Ta sueur. Il doit les connaître maintenant par cœur. Il s'est certainement mis à bander sur l'aire de tes pirouettes séductrices. Mon dieu, toutes les femmes occidentales sont pareilles. Du champagne, du flirt, se faire draguer, se faire embrasser, se faire baiser. Je ne veux pas de ça. » J'avais beau lui dire que ce n'était rien, qu'il s'agissait d'un homme qui s'était récemment séparé de sa partenaire de vie avec laquelle il avait vécu plus de cinq ans et que c'était un geste tout à fait normal de ma part, vouloir le consoler, il ne croyait pas un mot de mes explications. Sa colère croissait en volutes. Elle devint une spirale menaçante qui était sur le point de tourner en violence. Il me demanda ce que l'autre m'avait dit. Il m'avait dit, mot pour mot, qu'il préférerait qu'on reste amis. « Voyons donc, que vous restiez amis ! Et qu'à la rigueur, on dépasse un petit peu la frontière entre amis et amants, mais pas assez pour qu'on se crée des obligations. » Après les crises de jalousie suivait le retranchement. Il voulait que je le dissuade, que je le rassure, que je lui ôte de la tête ses idées tourmentées. Il avait besoin que je sois fidèle, innocente et douce. Et sa langue fourchue se remettait en marche.

Un jour, en démarrant la voiture, il se mit à lécher mes cuisses, à me mordre, à écarter mes jambes et à faire remonter mon plaisir jusqu'au déraisonnable. Je dus ralentir, presque m'arrêter. On prit ensuite l'autoroute, cent-vingt à l'heure. La musique hurlait dans mes tempes, la nuit hurlait dans mes poumons, j'avais envie d'écraser la ville et de m'envoler ailleurs, sa tête était toujours entre mes jambes. Ce fut le plaisir le plus intense, jamais éprouvé dans ma vie.

Sa femme n'éprouvera jamais un tel plaisir. Ni les amantes qu'il se cherchera deux ou trois ans après son mariage, dans la tentative désespérée de retrouver des parcelles de sensations qu'il a vécues avec moi. Aucune d'elles ne pourra renverser sa chair à un tel point. C'est ma certitude absolue.

« C'est avec toi que j'ai connu la passion charnelle. La première fois de ma vie. »

On peut tout oublier. Les paroles en premier, les promesses, les projets ; viennent après les peurs, les jalousies et les cauchemars ; enfin le visage, le corps et les sensations. À la toute fin, la folie, le tremplin vers le désert. « Te connaître, c'est comme un verre de vin après la traversée du désert. Viens avec moi, on prendra la route 66. » Je l'ai déjà dit, il n'aimait pas le vin. Et le désert n'avait jamais fait partie de ses fantasmes.

Il s'installa dans son nouveau boulot. Enfin, la première marche sur l'échelle de son ascension sociale à Montréal. « Dans dix ans je serai le premier premier ministre immigrant du Québec », se plaisait-il à m'annoncer d'un air triomphant. Peut-être, avec une ascension fulgurante. Il m'appelait moins souvent qu'avant, dans les pauses de son travail, à onze heures, à midi, quand on ne mangeait pas ensemble, et à quinze heures. Je ne pouvais m'empêcher de penser que tous ces efforts ne me seraient jamais destinés. La stabilité, l'argent, l'emprise sociale – afin de bien s'installer dans la vie, afin de mener à bout ses idées de réussite. « Je ne suis pas si primitif que tu le crois », me disait-il. « Je ne t'ai jamais considéré ainsi. »

« Quel bonheur ! J'ai toujours rêvé de me promener dans une grande ville, dans des quartiers luxueux, sous la neige, une belle femme à mon bras. Je n'arrive même pas à croire que c'est vrai. » Avec mes bas déchirés et mes mini-jupes d'écolière, nous nous enfoncions dans le noir des petites forêts du quartier Westmount, il me plaquait contre un arbre et me faisait connaître la jouissance à l'état naturel. Comment une telle explosion des sens pourrait-elle un jour, se tarir ? Impossible de l'imaginer.

On sortait à Saint-Sauveur, sur l'île Sainte-Hélène, au casino de Montréal, dans le Vieux-Port, sur la rue Saint-Denis, avec mon garçon, pour lequel il était devenu comme un père ; ils jouaient souvent ensemble, ils mesuraient leurs forces. Amran était attendri à chaque fois que mon fils lui montrait sa sensibilité hors du commun, inhabituelle pour son âge. Rien n'était à reprocher à cette vie. J'avais entièrement oublié l'existence de son frère, qui le rappelait souvent à l'ordre : « Tu fais ce que tu veux. C'est ta vie en fin de compte. Mais n'oublie pas. Tu as une mission d'honneur. Tu devras l'oublier si tu veux pouvoir faire confiance à ta femme. Sinon, tu ne pourras jamais construire une vie avec elle. » Mais pour l'instant on était entourés par la neige, aucune décision ne pressait, je ne connaissais personne de sa famille, personne de son entourage ; il connaissait tous mes amis, mon milieu de travail, ma vie, mes peurs. Je jouais, cartes sur table, ouvertement. Il jouait sa carte, son unique carte. J'étais le pion invisible caché derrière cette carte.

Vers le début de l'année suivante, je lui annonçai mon intention d'essayer de nouveau de trouver un poste en Europe. Je ne supportais plus ma précarité à Montréal. Je n'avais pas de réponse de Lausanne. Je ne me faisais pas beaucoup d'illusions, mais j'étais de plus en plus déterminée à y tenter ma chance, d'autant que la pression de son mariage qui approchait devenait effectivement insupportable. Moi aussi, en attendant, je suis devenue insupportable. Je rêvais chaque nuit du placenta de sa femme, de ses seins, de son sourire, de ses jambes qui s'ouvraient pour lui laisser libre accès. Je rêvais de la fête bruyante étalée par sa communauté, de la débauche de nourritures et de joie. L'univers entier me semblait englouti par la musique kabyle et les parures des femmes qui ensorcelaient à tout jamais leurs hommes. Je ne comprenais rien à ce monde. Il me faisait peur.

J'ai donc commencé à préparer mes dossiers de candidature. Il fermait les yeux et ne disait rien. Mais son visage se renfrognait, de plus en plus sombre.

L'année qui commençait s'annonçait mal.

Un jour de début janvier, on se donna rendez-vous dans un café, après son travail, afin de travailler ensemble, lui sur ses projets professionnels, moi sur ma candidature. J'étais arrivée en retard. Dès que j'arrivai, il m'accueillit souriant, les yeux rivés sur la table où il s'était installé une heure plus tôt. Il me demanda : « Tu souhaites toujours connaître une femme ? Cette fois-ci, je pense que ça va marcher. Il y en a une à côté qui s'est adressée à moi à plusieurs reprises. Qu'est-ce que tu en dis ? »

Je ne savais pas quoi dire. J'étais aussi attirée que repoussée par l'idée. Je m'étais tellement habituée à cette conversation que je ne croyais plus que ce scénario pouvait devenir réalité. Le fantasme d'une autre femme avait traversé dès le début mes face-à-face avec Amran.

« D'accord, je lui dis. On verra ce que ça donne. »

Dès que je me suis assise à la table d'Amran, la femme, dans la trentaine, aux traits olivâtres, qui venait assurément du nord de l'Afrique, commença à se concentrer sur son ordinateur. Elle préparait, nous l'a-t-elle avoué plus tard, un examen en nutrition. Je me suis plantée entre elle et Amran. Elle m'adressa un court sourire de bienvenue. Puis, tout au long de l'heure suivante, elle se concentra sur ses travaux, ses longs cheveux alignés autour des joues, comme si elle voulait mettre un paravent devant notre couple. Amran me disait que cinq minutes avant mon arrivée, elle ne cessait de lui parler, de lui poser des questions sur son travail, sur sa vie au Canada… Maintenant elle avait sombré dans un silence total.

Mes joues s'empourprèrent. Je voulais passer à l'attaque. Et en même temps, je voulais lui arracher les cheveux, à elle et à toutes les femmes au teint olivâtre, au beau sourire et eux beaux yeux. Maintenant ou jamais, me suis-je dit. Entre rage et séduction, je lui jetai sans aucune préparation :

« Comment trouvez-vous l'homme à ma droite ? Vous le trouvez beau, désirable, vous sentez qu'il pourrait faire une belle carrière dans le pays des glaces ? Comment le voyez-vous ? »

Elle sursauta, prise par surprise. Je vis ses yeux. Elle se sentait insultée, mais en même temps je pouvais reconnaître chez elle le regard du félin à l'attaque. Je ne pouvais pas me tromper ; c'était le même regard sans pudeur et imbu d'insolence que je posais sur les femmes qui potentiellement pourraient intéresser mon amant. J'ai tout de suite regretté de lui avoir parlé. Mais il était trop tard. Je ne pouvais plus reculer. C'est elle qui passa à l'attaque. C'est elle qui me dévisagea sans honte. C'est elle qui voulait séduire Amran. Devant moi. Elle n'avait peur de rien. Où diable avait-elle pu apprendre cette insolence ? La mère d'Amran avait peut-être raison ? Méfie-toi des Marocaines. Elles connaissent des trucs qui peuvent ensorceler les hommes à tout jamais. Les femmes aussi. J'étais irrémédiablement sous son charme. Je me sentais sans défense, humiliée, déconcertée, piégée par cette femelle aux cheveux sombres. Son regard me clouait. Son sourire imperceptible me donnait envie de l'embrasser sur place, devant le regard décontenancé d'Amran. Le seul secours que j'attendais pouvait me venir de sa part. Il connaissait les femmes. Moi, j'étais une novice. Je n'avais aucune expérience dans le domaine. Je me sentais perdue. Mais j'essayais de me maîtriser, de peur que mon amant ne se rende compte de ma faiblesse et qu'il me trahisse. Je devais à tout prix jouer mon rôle de femme fatale jusqu'au bout. Sinon, j'allais le perdre. Bien plus tôt, avant même de devoir le donner à sa femme, je devais me rendre à cette Marocaine qui gelait maintenant mon souffle.

Elle me siffla finalement, sans se soucier de mes sentiments et de mon regard qui se voulait inquisiteur : « Vous insinuez que j'avais l'intention de voler votre amoureux ? Vous vous trompez grandement. On a eu une conversation très *casual* avant que vous arriviez. Je ne lui ai fait aucune proposition. Mais je vous comprends. Votre amoureux est un très bel homme, me dit-elle. » Elle regarda Amran, tel un grand oiseau de proie. Je me sentais comme un petit enfant perdu au fond de la forêt. Amran n'hésita pas.

C'est lui qui reprit le ballon et qui la décontenança. « Mon amie, s'adressa-t-il à la Marocaine, veut essayer une nouvelle expérience, quelque chose qu'elle n'a pas connu auparavant… »

La Marocaine l'interrompit, impertinente : « Vous pariez ? Peut-être qu'elle connaît des choses que vous ne soupçonnez pas… » D'où tirait-elle cette maîtrise de soi, cette insolence incroyable qui disait que rien ne pouvait la perturber, qu'aucune femme et qu'aucun homme au monde n'avait de secret pour elle ?

Amran ne se laissa pas déconcerter. Il lui parla sur un ton doux, comme si sa voix allait la coincer entre des algues marines. C'était effectivement l'impression que j'avais, en l'écoutant. Qu'on avançait au fond de l'océan. Que la musique du café s'était estompée et que nos voix se faisaient difficilement entendre à travers les nuages d'excitation qui nous liaient dans une masse visqueuse – la masse d'un événement qui était en train de se créer là, sous nos yeux, à partir de nos tâtonnements maladroits.

Amran lui dit : « Non, je ne crois pas qu'elle ait fait ce genre d'expérience, n'est-ce pas ? me regarda-t-il d'un air protecteur. D'ailleurs, ce n'est pas ce qui est le plus important. Le plus important maintenant c'est qu'elle, que nous, aimerions voir ce que ça donne. On veut s'exposer…

– Vous voulez peut-être tester vos sentiments ? Voir jusqu'où vous pouvez aller sans briser le pacte de confiance que vous avez conclu entre vous, en silence ? Voir si la tentation extrême vous balaiera ou si elle vous soulèvera… »

Elle nous regardait avec une curiosité croissante. Son intelligence nous faisait peur, mais en même temps elle nous rassurait. Une telle femme pouvait comprendre tous les méandres de cette aventure inouïe.

Amran me l'avait dit : « Si tu veux faire un pas de plus, il faut absolument que je leur parle. Les femmes que tu veux ne sont pas des lesbiennes ; elles veulent l'homme, c'est évident, mais en même temps elles se sentent attirées par l'inhabituel d'une présence féminine qui leur propose un tel scénario. Il faut absolument que j'intervienne. Sinon, cela n'aboutira à rien. »

Il avait raison. Dès qu'il lui parla, la femme se sentit mobilisée. Ses longs cheveux noirs entouraient son visage et je pouvais sentir son odeur suffoquant mes poumons. Elle s'approchait de plus en plus de moi. Elle me scrutait amusée, mais en même temps ravagée par la curiosité. Je n'ai jamais vu de ma vie un visage passer aussi facilement du détachement à l'insolence extrême, puis à la curiosité, à l'excitation. Elle était survoltée par la nouveauté de l'expérience, mais en même temps entièrement rassurante. Le plus bizarre c'était le fait qu'il y avait de cela cinq minutes, nous étions des inconnus et maintenant nous nous faisions des confidences d'une intimité menaçante.

C'est ce qu'elle nous mit en vue, dès que nous commençâmes à parler de la possibilité qu'elle vienne avec nous. C'était fort probable, d'après la lueur de son regard, oui, c'était probable, mais « ne vous faites pas d'illusions, je ne serai pas un objet entre vos mains, je suis une part active, je compte prendre ma part à l'histoire. »

C'est ce qu'elle fit, elle. Elle se montrait intéressée par moi. Surtout par moi. Une bonne stratégiste, cette dame olivâtre. Elle endormait ainsi mes peurs. Elle me caressait. Elle était mon amie. À vie et à mort, comme toutes les femmes de cette région du monde, avec leur beauté inquiétante, avec leurs yeux qui promettaient l'immortalité.

« Dis-moi, m'interpella-t-elle. Pourquoi veux-tu faire une telle chose ? Tu en es sûre ? Pour moi, c'est facile. Je viens avec vous et demain j'oublierai. Je n'ai rien à perdre. On peut se donner mutuellement du plaisir jusqu'à ce que je trouve un homme, évidemment sous le sceau de la discrétion totale. Et toi ? Et vous ? J'aimerais comprendre. Il faut y avoir une raison. Ce n'est pas juste de la curiosité. Ce n'est pas possible. Vous n'êtes pas un couple fatigué, qui essaie à tout prix de se donner du plaisir. Pas du tout. Au contraire, vous me semblez au début de votre relation amoureuse. Et alors ? Pourquoi ? Tu en es sûre ? Qu'est-ce que tu veux ? »

Amran essaya de lui dire quelque chose. Mais elle l'interrompit : « Laisse-moi s'il te plaît parler avec elle. Pourquoi ? »

Je ne savais pas quoi dire. Je ne pouvais pas lui dire que la raison de mon obstination érotique n'était rien d'autre que l'existence d'une femme kabyle, qui se préparait à venir à Montréal. Chaque jour qui l'approche de sa destination est un jour soustrait à mon bonheur. Et que je veux me jeter dans l'abîme. Avec elle ? Tant mieux, avec elle.

Je lui ai dit que je voulais tout, absolument tout expérimenter avec Amran avant qu'on vive ensemble et qu'on fasse des enfants. Qu'il me présente à sa mère au bled. Je voulais tout connaître avec lui. Je voulais tout lui montrer de moi. Pour toute une vie. Voilà ce que j'ai concocté pour la convaincre.

C'est là qu'Amran reprit les rênes et lui posa directement, transversalement la question :

« Si on vous demandait de venir avec nous, que répondriez-vous sur une échelle d'un à dix ? »

La Marocaine s'arrêta, interdite. Elle répondit : « Six, à peu près. Quand voulez-vous que je vienne ? »

Amran me regarda. J'acquiesçai.

« Maintenant.

– D'accord. Je vais juste passer aux toilettes et je vous suis. »

On resta seuls. On se regarda avec complicité. On n'allait pas faire marche arrière. Pour rien au monde. En route vers la voiture, nous croisâmes un de mes prétendants. Amran n'y fit pas attention, chose curieuse, vu son goût pour les querelles.

En s'approchant du gîte de célibataire de mon homme, on avait les conversations les plus banales possible. Et les plus incitantes. Tout était facile. Rien n'était interdit. C'était la règle de la Marocaine. « Si vous voulez que je vienne avec vous, il faut absolument qu'on se parle ouvertement. Sinon, ça ne vaut même pas la peine d'essayer. »

« Pourquoi les femmes arabes, après le mariage, n'acceptent-elles plus l'anal ? C'est à cause de l'interdiction du Coran ? Elles l'acceptent juste pour satisfaire leurs hommes tant qu'ils ne sont pas à elles, mais tout de suite après, elles se protègent.

– Aucune idée, répondit-elle. Moi, je l'ai essayé avec mon ex-mari, mais je ne l'ai pas trop apprécié. C'est ma faute, peut-être je ne suis pas faite pour cela, ou bien mon ex-mari n'était pas très expérimenté. De toute façon, une chose est claire : nous aussi, on a renoncé à le pratiquer au bout d'un certain moment. »

Amran lui parla aussi de son idée d'écrire ensemble un livre qui s'intitulerait *Le plaisir interdit* ; un livre qui secouerait tout. La plupart des femmes de son pays n'acceptent pas le plaisir. Leurs hommes croient que le plaisir des femmes est la main du diable. Ils se satisfont, eux, mais ils ne prennent jamais le temps de les satisfaire. Il y a beaucoup de femmes qui ne connaissent même pas l'orgasme. Si l'homme ne prend pas suffisamment de temps pour le lui provoquer, la femme peut vivre sa vie entière en croyant qu'elle n'est pas bénie par le Bon Dieu.

« Moi non plus avoua la Marocaine. Je viens assez difficilement. Je suis plus que contente si j'arrive à en avoir un, après tous les efforts de l'homme. Ce n'est pas aussi ton cas ? » m'interrogea-t-elle d'un air curieux.

Moi, je me sentais bénie. Je ne parlais pas trop. Je pensais exclusivement à ce qui allait se passer. Elle voulait se mettre à l'abri : « Demain, si vous me rencontrez dans la rue, vous ne me reconnaîtrez plus. Vous ne vous souviendrez même pas de mon visage. Vous ne me saluerez pas. Vous comprenez, n'est-ce pas ? Je veux quand même trouver un homme avec lequel avoir des enfants. »

Amran jura : « Sur la tête de ma mère, je respecterai ton désir. »

On arriva chez lui. La femme était bien dans sa peau. Ma peau était trop étroite. Je me sentais serrée. Plus tard, Amran m'avoua : « Si j'avais pu me marier avec toi et te faire des enfants, cet épisode n'aurait jamais existé. »

Qu'est-ce que je devais comprendre ?

Il nous servit, à toutes les deux, du jus d'orange. Une conversation timide était en train de nous lier. D'un coup, je me suis dit qu'elle n'était pas venue pour cela. Je l'agrippai par les cheveux et je commençai à l'embrasser longuement. Elle se laissa faire, surprise au début, passive tout de suite après. J'aimai cette passivité en elle. Elle accepta tout. Elle me montra ses seins. Je lui montrai les miens. C'était comme un jeu entre anciennes amies. « J'ai toujours voulu avoir de gros seins », lui avouai-je. « Ils ne sont pas aussi beaux, se plaignit-elle, j'ai commencé à brusquement maigrir après avoir beaucoup grossi. »

Amran me regardait, sidéré. À le voir près de moi, j'ai commencé effectivement à éprouver du plaisir, à me toucher, à me déshabiller. Je l'ai même poussé à goûter de ses seins. Je les regardais en silence. J'avais envie de fermer la porte derrière moi et de m'enfuir.

La femme sentit cela. Elle me poussa, moi. « Allez, j'aimerais vous voir faire l'amour devant moi. Vous êtes un couple magnifique. Vous êtes faits l'un pour l'autre. » On était debout enlacés, mes bas déchirés. J'avais juste envie de lui caresser les cheveux, comme ceux d'un enfant. Mais Amran voulait plus. Il montra à la Marocaine les vidéos qu'on avait prises ensemble, mes jarretelles et mes fesses striées. Pendant que j'embrassais la femme sur la bouche, il mit sa tête entre mes jambes. Je regardai dans un cri d'effroi et de plaisir le visage de la femme, qui me demandait sans arrêt : « T'es venue, t'es venue ? » « Non, pas encore », et quand l'orgasme s'approcha, je faillis lui arracher la langue. Surtout, je crois, parce qu'elle était sur le point de se déshabiller entièrement. C'est là que notre partie prit fin.

Elle nous avoua que ce n'était pas la première fois qu'elle embrassait une femme. Elle l'avait déjà fait quand elle était toute jeune. Elle avait entièrement exploré le corps féminin.

« Demain vous ne me reconnaîtrez plus, c'est entendu ?

– Cela va de soi.

– Si je viens encore, ce sera jusqu'à ce que je trouve mon homme. Vous ne vous souviendrez même pas de mon nom, d'accord ?

– D'accord. »

Sur la route du retour, on était silencieux dans la voiture. À une station d'essence, j'ai arrêté. J'avais besoin de lait pour mon garçon. Je l'ai fait exprès. Je voulais les laisser tout seuls. Quand je suis revenue, Amran me cherchait. « Je ne veux pas te perdre », répétait-il comme un maniaque. « S'il te plaît, laisse-moi deux secondes avec elle. J'aimerais lui poser une question. »

Il le fit. Je lui demandai la seule chose qui me passa par la tête : « Tu crois qu'une femme kabyle pourrait accepter pour son fils une femme comme moi ?

179

– Difficilement fut sa réponse. Il faudra que tu te battes pour cet homme, n'oublie pas cela. Mais il t'aime. Il t'aime infiniment. On est restés seuls dans la voiture et je ne te cache pas que je l'ai voulu pour moi, j'ai essayé de le convaincre, de le séduire. Il n'a même pas cligné. La seule chose qu'il m'a dite fut – je ne veux pas la perdre. Son amour pour toi vous sauvera. J'en suis convaincue. »

On s'arrêta sur Mont-Royal. On échangea nos numéros de téléphone. On se promit de se revoir, moi et elle, en amies, et de parler de la vie. Je l'ai embrassée et elle est partie.

Je restai seule, face à face, avec Amran.

Retour

Je ne sais pas si cela fut la fin de notre histoire. Non, je ne crois pas que l'histoire s'arrêta là. C'est vrai qu'à partir de ce moment, les choses commencèrent à s'obscurcir, à ne plus entrer dans leurs cadres habituels, à se rider. On ne savait plus exactement ce qu'on ressentait l'un pour l'autre. Il me demandait : « Comment peux-tu accepter que ton homme touche une autre femme, devant toi ? Tu l'as déjà fait, toi ? J'ai l'impression que tu as tout fait, tout connu, tout goûté à cette vie. Qu'est-ce que je peux t'apporter, moi ? Il n'y a rien qui te manque. Ta vie est accomplie. »

Mais le plus bizarre c'est que c'était lui qui était le plus jaloux. Il était convaincu que la Marocaine s'intéressait à moi. Elle l'avait d'ailleurs dit : « Je n'ai jamais rencontré une femme pareille. Il faut qu'on devienne amies. » Il était convaincu qu'on se rencontrait en cachette, que j'avais profité de ce tremplin pour pousser davantage ma curiosité naturelle. Lui, de son côté, il se trouvait irréprochable. « Quel homme à ma place n'aurait pas profité de cette occasion que sa femme lui offrait avec générosité ? Mais mon seul souci dans ces conditions fut comment te protéger. Comment ne jamais dépasser les limites d'un jeu. C'était rien qu'un jeu, n'est-ce pas ? Rien qu'un jeu. »

Est-ce qu'il avait ressenti de l'attirance pour cette femme ? Est-ce qu'il pourrait encore renouveler cette attirance avec d'autres, après mon retrait ? Quand devrai-je me retirer ? Quand je ne serai plus à ses côtés ? « Tu parles souvent de mon mariage comme de ton pire cauchemar, comme du coup fatal qui vient gâcher ta vie.

Sache que c'est devenu aussi mon cauchemar. C'est une montagne. Je ne sais pas encore comment je ferai pour te laisser derrière moi pendant deux semaines et aller là-bas. Ne me mets pas de pression, s'il te plaît. J'en ai suffisamment de la part de ma famille. »

Les choses étaient déjà assez compliquées. La Marocaine vint les compliquer davantage. Après une dizaine de jours, je lui annonçai mon désir de partir dans un endroit reculé à cent-cinquante kilomètres de Montréal. C'était un endroit dédié à la méditation. Il n'aimait pas les endroits reculés. La méditation non plus. Il croyait que ce n'était rien d'autre qu'un prétexte pour m'éloigner de lui.

Je voulais lui donner l'aperçu de ce qu'allait être, son départ dans quelques mois. Je voulais qu'il comprenne à fond ce qu'il allait faire. « On surmontera cette épreuve, je n'en ai aucun doute. Mon frère me demande déjà quand il doit prendre son congé cet été. » « Et toi, qu'est-ce que tu lui dis ? » « Je ne sais pas, je ne sais pas, je n'ai aucune idée. » « Quand est-ce que tu te marieras ? » « Je ne sais pas encore. » « Quand tu le sauras, dis-le-moi au moins deux mois à l'avance. Je dois pouvoir me préparer. Tu es sûr que tu ne peux rien changer ? Que tu dois absolument faire cela ? Il n'y a aucun moyen de l'éviter ? Écoute-moi bien. Je suis prête à accepter tes crises de jalousie, ta culture, je suis prête à ne plus jamais toucher au porc, prête à te faire deux enfants, si cela s'impose, tout de suite, prête à accepter ta mère… mais ne le fais pas. Ne m'expose pas à cette déchirure de l'âme. On va partir d'ici pour quelques mois. Ta mère te pardonnera. Ta fiancée ne se suicidera pas. Elle est jeune. Les plaies guérissent facilement à cet âge. »

J'étais prête à sauter dans l'abîme. Il baissait le front, mais ne disait rien. « Je ne peux pas. Ma mère, mes frères, les deux familles. Je ne peux pas. Ma communauté, mon honneur, mon avenir. Si je fais cela, je n'aurai plus d'avenir. C'est fini pour moi. J'ai trouvé en toi tout ce que j'ai toujours souhaité avoir, courage, beauté, simplicité, raffinement, sensualité, intelligence, mais je ne peux pas bouger. J'ai les mains liées. Notre liaison est inébranlable. Au-delà de ce qui lie un homme à une femme. » « Moi aussi, j'ai trouvé en toi force et folie, patience et colère, persévérance et entêtement, pragmatisme et poésie. Ne gâche pas notre fragile rencontre. Essaie au moins de repousser, de contourner la fatalité. Tu auras toute une vie pour te dévouer à ta famille, à ton bonheur. Tu auras toute une vie pour devenir ce qu'on attend de toi. Fais un geste pour moi. Défends-moi ! »

Mes crises devinrent de plus en plus fréquentes et de plus en plus violentes. Je ne voulais plus entendre le téléphone sonner, les conversations *Skype*, je ne voulais plus entrer chez lui tant que le moindre détail de son existence parallèle disparaisse. Je ne voulais plus jouer ce jeu. Mais c'était trop tard. J'aurais peut-être dû le faire plus tôt, avant son départ en Algérie, l'année précédente. Maintenant nous jouions sur un scénario imposé.

On était tendus. « Tu es ailleurs, me disait-il. Tu penses à un autre homme ? Je n'arrive à rien obtenir de toi. J'ai beau déployer toute mon énergie, ton corps ne me répond plus. Qu'est-ce qui se passe ? »

Il cherchait toutes les explications possibles afin de ne pas devoir affronter la seule explication réelle, l'unique, la pierre d'achoppement de notre histoire, le signe néfaste sous lequel elle s'était placée dès le début.

Il a failli casser son bras après la rencontre, par hasard, d'un de mes collègues de travail. Il me serra la main nonchalamment, le vieux loup des steppes, et cela m'a grandement coûté par la suite. Des scènes d'une violence croissante, des reproches, des malentendus, de l'incompréhension, du désespoir. L'amour s'insinuait insidieusement parmi les miettes.

Dans la voiture, j'éclatai : « Amène-la au plus vite, pour que ça finisse enfin. J'en peux plus. J'en peux plus. J'en peux plus. Fais-la venir. Tu recréeras l'odeur de ton pays et tu n'auras plus besoin de t'accrocher à moi. Fais tes comptes. Vois ce qui te comble. »

Une façon de parler. Un masochisme déclaré. Plutôt que de lui dire : « Fais un geste difficile, fais quelque chose qu'aucun homme de là-bas ne ferait. Donne de la vie à tes mots. »

On se sépara en hâte. Quand je l'ai laissé derrière moi, en claquant la porte de la voiture, il eut l'impression, il me l'avoua plus tard, de ne plus rien entendre. De se trouver dans le noir. Les klaxons des voitures, les hommes qui marchaient dans la boue, les bruits enfouis de la nuit cosmique ; tout cela était loin. Il était cloué au sol, réduit au désespoir, esclave de la violence, redevable aux promesses qu'il avait faites, intouchable.

« Fais-le au plus vite. Que ce cauchemar finisse enfin. »

« Ne le fais pas, s'il te plaît. Dans quelques mois cette histoire ne sera que de l'ombre. »

À la même époque, j'ai eu mon entrevue téléphonique pour le poste de professeure de danse contemporaine à Lausanne. J'allais avoir la réponse vers la fin du mois de mars.

Le jour même de mon entrevue, il avait écrit la lettre. Je l'ai découverte par hasard une semaine plus tard, dépliée sur son canapé. D'ailleurs, ce n'est pas moi qui l'avais découverte, c'était lui qui avait attiré mon attention sur elle. En revenant de la salle de bain, il se jeta sur elle, en répétant de manière obsessive. « Tu l'as lue ? Dis-moi que tu ne l'as pas lue. Je ne t'ai pas trahie, je te le jure bébé. »

Je ne l'avais pas lue. Mais j'ai menti, en lui disant que oui, j'avais lu la moitié. Et qu'il devait me la donner s'il voulait que je lui fasse encore confiance. En plus de cela, je voulais qu'il me montre la plus belle photo qu'il avait prise à côté de sa femme lors de son séjour en Algérie, l'été précédent. L'heure de vérité approcha. Je voulus reculer, mais il était trop tard. Les rênes du destin s'étaient déchaînées. Aucun des diables penchés sur la grande échelle du savoir, sauf le dernier, ne savait à quoi tout cela devait aboutir.

Il avait écrit :

« Nous nous sommes connus, moi et ma femme, lors du mariage de mon frère et de sa cousine, qui vivent actuellement à Montréal.

J'ai moi-même demandé à ma belle-sœur de nous présenter, et depuis nous avons toujours gardé contact ; même si nous vivions loin l'un de l'autre, notre relation s'est développée pour devenir une relation d'amour lors de mon séjour en France au cours duquel nous étions sans cesse en contact, en plus de nous voir pendant les vacances que je passais en Algérie.

Nos parents ont toujours été au courant de notre relation, j'ai par la suite demandé sa main par l'intermédiaire de ma mère. Nous avons organisé une cérémonie pour nos fiançailles au mois de juillet et le mariage civil à la mairie quelques jours plus tard. Vous trouverez ci-jointes les photos et la vidéo de cette réception.

Je souhaite attirer votre attention sur la présence des parents sur les photos : ma mère, mon grand frère, ma belle-sœur ainsi que mes neveux, et du côté de ma femme son père, sa mère, son grand-père ainsi que ses frères et sœurs.

Nous avons décidé d'un commun accord de célébrer le mariage religieux en juillet, l'année suivante, date à laquelle nous avons décidé d'organiser la réception du mariage ainsi que la nuit de noces. »

C'était la lettre d'invitation.

Il la préparait minutieusement. Il m'avait écoutée. Je suis sortie de son appart sans le saluer, j'ai pris la voiture et j'ai démarré en trombe. J'avais envie de m'écraser contre un parapet. J'avais envie de tout détruire.

Le lendemain il m'a appelée. Il essayait de trouver un chemin vers moi, de lancer ses mots, de me rappeler qu'il existait, qu'on était immortels. « Tant qu'on fera l'amour, nous serons immortels. Personne ne pourra nous voler cela. » Je n'écoutais plus. Je ne voyais que l'année qu'on avait passée ensemble, parsemée des jalons en vue de son mariage. Cette fois-ci son vrai mariage. Celui de l'année précédente n'avait été que faux-semblant. « Dis-moi, à part les deux semaines où vous avez coupé contact en raison de son manque de respect, elle a toujours été présente, à épier nos tâtonnements amoureux ? Elle était là pendant qu'on séduisait la Marocaine ; elle était là pendant qu'on se prenait en photo au Belvédère ; là quand on visitait les musées à Chicago, là quand je te préparais des plats ou quand on mangeait ensemble dans des restos deuxième classe. Tu referas avec elle les mêmes chemins ? Comment pourras-tu respirer le même air, te promener dans cette ville qui garde les traces de notre face-à-face avec la vie et la mort ? Comment peux-tu envisager cela ? »

Moi, j'anticipais tout. Lui n'anticipait rien. Il était l'homme du présent. « Je suis fou de toi. Ne me quitte pas. Je ne reprendrai jamais goût à la vie si tu pars. Je n'ai pas de solution, mais je sais que les pires scénarios possible seraient mille fois pires que le fait de ne plus t'avoir dans ma vie. Reste avec moi. C'est moi qui te parle. C'est moi, Amran. Je ne suis pas ton ennemi. Tu es tout pour moi. Mon amour, mon cœur, la femme avec laquelle je fais l'amour. Tu es tout. Mon ennemi à mort. Je te comprends, mais je vais te convaincre de rester avec moi, malgré tout. »

Pendant qu'il me parlait, l'univers se mit en marche autour de moi. Une dame trébucha dans la rue et faillit se faire écraser par un cycliste qui arrivait à toute vitesse. Mon collègue de travail, celui pour lequel Amran avait failli casser son bras, s'interposa entre moi et la dame. Je ne pouvais pas lui venir à l'aide. C'était un vieux couple qui la releva. Les vieux avec les vieux. Les jeunes avec les jeunes. Je parlais au téléphone avec Amran. J'ai raccroché à plusieurs reprises. Il m'implorait de lui permettre de me parler de vive voix. Je voulais tout oublier, tout enterrer. Le loup des steppes m'invita dans sa voiture. Je l'ai gentiment refusé. Je lui avouai que je n'allais pas bien, mais que j'avais besoin de rester seule. Il comprit et s'en alla sans commentaire.

Après deux journées de négociations, j'ai accepté de le revoir. Sa beauté me frappa de nouveau. Parfois il se mettait une serviette autour de la tête et il avait l'air d'un Bédouin au désert. Cette séparation allait être la chose la plus difficile au monde. « Je ne veux pas entendre parler de séparation. On trouvera une solution. » « Quelle solution ? L'ère des mots est révolue. J'ai besoin d'actes. De faits. Rien que des faits. Reporte au moins cette cérémonie. Fais quelque chose de difficile. Si tu me déçois une deuxième fois, cela tuera mon amour. Définitivement. »

Sous la pression de mes paroles, de mes gestes, de mes rejets, de mon mépris, il me dit, pour la première fois, que la balance penchait en ma faveur. Que le destin était débalancé. Que oui, il s'était décidé pour moi. Je m'arrêtai. Je le regardai longuement. Il était épuisé. La femme que j'étais l'épuisait. Mais je ne pouvais faire autrement. Je ne trouvais pas cela dans mes gènes. J'avais envie de le demander à la Marocaine. Comment pourrait-on réagir autrement ? Comment pourrait-on voir les choses différemment ? Je n'avais aucune réponse.

« Tu ne peux pas savoir à quel point ma décision penche en ta faveur, » me dit-il.

Je l'ai regardé de nouveau : « Comprends-moi bien, je lui dis. Je ne parle pas de ce rôle. Je ne veux pas la table la plus reculée des cafés, les ruelles les plus sombres, les chambres les plus sordides. Pour ou contre moi. Maintenant. Sinon je ne vais pas avancer davantage. »

Il répéta :

« Tu ne peux pas savoir à quel point ma décision est déjà prise. Tu comprends ? Il faut juste que je trouve les moyens pour la mettre en pratique. »

Il le dit, donc. Il avait tourné la page. La vie se présentait imprévisiblement devant nous. Je songeais au studio qu'on allait louer ensemble, à notre premier enfant, à notre premier livre, *Le plaisir interdit*. Et à notre deuxième, *Sept règles de survie en Amérique du Nord*, celui à travers lequel j'allais sceller ma rupture avec mon amie communiste.

Voilà nos projets. On n'avait même pas besoin de publier nos livres dans la maison d'édition de son ami algérien. Ils parleraient d'eux-mêmes. Ils allaient nous permettre de remporter le prix Goncourt.

Je lui ai pardonné. Il n'envoya pas la lettre d'invitation.

J'ai esquivé pour une fois le destin. Le dernier diable connaissait-il ce dénouement ?

Je me suis retirée dans mon lieu de méditation. La règle d'or était le silence. On ne parlait jamais aux autres. On ne les regardait même pas dans les yeux. On devenait conscients de notre corps, on vivait le présent. On s'excluait du temps. Je me retirais de mon histoire avec Amran. J'apprenais à renoncer. Tant que je ne pouvais pas renoncer au désir, j'allais souffrir comme une bête. J'essayais de visualiser cette histoire six mois après notre séparation. Était-il possible qu'elle disparaisse, qu'elle devienne néant ?

Il ne pouvait plus respirer. Il m'appelait chaque jour. C'était comme un cordon ombilical qui devait être tranché. Entre-temps, son ami algérien, l'écrivain pour lequel il avait réalisé la maquette du livre, devint célèbre. Il avait écrit une incantation à la femme. Un poème qui rendait hommage à toutes les sacrifiées de la terre. Entre-temps, il y avait eu un viol collectif en Inde, l'indignation collective et le vomissement collectif causé par cette histoire.

Moi, je pratiquais mes exercices de silence. Je pratiquais l'interruption des fonctions vitales.

Les choses se précipitèrent par la suite. Amran se sentit trahi par mon silence. Amran commença à faire des préparatifs pour sa vie future, tout en se convaincant que cette vie allait toujours m'avoir au centre. Dès mon retour à Montréal, il commença à chercher une nouvelle maison. « Je dois déménager au mois de juillet, tu le sais, n'est-ce pas ? » Je le savais, effectivement. Je l'ai donc accompagné dans ses recherches. Je prenais parfois mon fils avec nous. On tombait sur des familles kabyles entassées dans de petits apparts. Il s'émouvait à chaque fois qu'il rencontrait un visage de vieille femme, à chaque fois qu'il voyait des photos de noces ou de circoncision d'enfants. « Ce sont les femmes qui ont sauvé notre pays », disait-il. Quand le concierge lui demanda pour combien de personnes il allait louer son appartement, il lui répondit que c'était pour deux personnes, un couple, « cette femme-ci avec son fils est une amie à moi qui est venue me conseiller. »

Ce jour-là, j'ai bu jusqu'à perdre la raison. Je ne pouvais plus bouger. Mon fils me mettait en silence des compresses glacées sur le front. Je ne l'ai plus accompagné dans ses recherches. Il eut beau me couvrir de fleurs et de cadeaux, je compris progressivement que notre sort était scellé. Un mendiant sur la rue Saint-Denis nous souhaita un mariage luxueux et faramineux. « Oui, effectivement, il se passera au mois de juillet », lui jetai-je. La terre commença à trembler sous mes pieds. On ne peut mourir tant qu'on est jeune. C'est un blasphème, un délit contre la création. Il faut vieillir d'abord. J'avais besoin de vieillir. Les mois qui suivirent ne furent rien d'autre qu'un vieillissement accéléré. Révolte, haine, colère, j'ai tout éprouvé.

Je revins sur mes décisions. Je ne voulais pas voir, je fermai les yeux ; je ne pouvais pas concevoir qu'une telle chose soit possible. On continua à chercher des maisons pour nous deux près du métro Fabre. Moi, j'aimais les espaces bien éclairés, avec de grandes terrasses, qui donnaient sur des cours intérieures. Je m'imaginais pratiquant mes exercices journaliers, me préparant pour mes cours de danse. Lui, il aimait les appartements bien organisés, avec plusieurs chambres fermées, où il allait pouvoir amener sa famille, pour lui rendre visite. Son frère voulait qu'il prenne son appart, à Brossard, vu que lui aussi allait déménager début juillet, pour s'installer dans sa toute nouvelle maison, à trente kilomètres de Montréal, d'où il allait venir tous les jours dans la ville pour travailler. Amran était content de ne pas avoir accepté l'offre généreuse de son frère, de pouvoir faire son choix, même si ce choix s'avéra être on ne peut plus difficile. Il ne trouva rien qui lui plaise. Ou au moins quelque chose qui convient aux limites du budget qu'il s'était imposées. Même si au début il était fier d'avoir pu faire preuve d'indépendance et de mener sa vie comme bon lui semblait, il commença par la suite à regretter l'offre de son frère, un bel appartement spacieux et à bon prix. Je devais le soutenir dans ses exercices de liberté. Courage, Amran, la vie n'est pas aussi chienne que ça. Tu y arriveras, j'en suis sûre. C'est le premier pas. Moi, je serai à tes côtés dans tout ce qui suivra. Je l'ai déjà fait, cet exercice de liberté. C'est vrai qu'au début il rend malheureux, mais après tu pourras jouir de ta vie au fond. Sinon, tu trimbaleras ton corps devant le monde, les cinq sens anesthésiés. Courage, lance-toi. Ce n'est pas aussi difficile qu'il semble.

Il était désespéré. Il n'arrivait pas à trouver ce qu'il voulait. Il avait peur de finir ses recherches immobilières dans le dernier trou de rat. C'était trop tard. Il aurait dû commencer les recherches plus tôt. Ne t'inquiète pas, l'année prochaine tu pourras faire tes démarches bien à l'avance. Mon Dieu, ça existera, une prochaine année ? Lui, une jeune femme accrochée à son bras, se cherchant un meilleur appartement, une meilleure maison, un meilleur boulot, une meilleure garderie pour leur fils. J'essayais de m'empêcher de penser à ce genre de choses.

Pour l'instant on cherchait un appartement. Pour nous deux, peut-être. Il y en a un qui nous plut beaucoup. J'ai parlé avec le concierge chinois. J'avais oublié que la race jaune n'était pas parmi ses préférées. J'ai essayé de le convaincre de nous donner l'appartement, même si on était arrivés trop tard. On allait revenir le lendemain pour signer le bail. Le lendemain je n'ai pu y aller. Je donnais mes cours de danse. Amran était revenu, furieux. Le Chinois ne lui avait pas donné l'appartement. Il voulait que je sois là. Il ne lui faisait pas confiance. Il lui avait posé plein de questions sur sa situation financière, sur ses études.

Amran n'aimait pas ça. Il voulait garder le contrôle. Ce n'était pas une femme qui allait le recommander.

Quelques mois plus tard, la Marocaine revint. Elle m'appela, moi, pour me dire sa tristesse. J'en ai fait part à Amran. On allait prendre ensemble une décision par rapport à elle. L'histoire ne nous intéressait plus. Nous, on se précipitait à pas géants vers la perdition et la mort. Elle voulait qu'on soit amies, qu'elle me raconte ses malheurs en amour. Amran l'écouta attentivement, la consola, l'amadoua de sa douce et triste voix, mais lui il lui fit également comprendre qu'il n'y aurait plus de suite, plus de retour. « Prends soin de toi, lui dit-il. Tu es très forte, tu le sais bien. » Il raccrocha. On ne lui donna plus de nouvelles ensuite. C'est facile de tourner la page. C'est facile de passer à autre chose.

Il trouva finalement un appartement qui lui plaisait, près du métro Jean-Talon. Il déménagea début juillet. Je ne voulais pas y entrer. Je ne voulais pas savoir où il allait commencer sa nouvelle vie. Parce qu'il n'y avait maintenant aucun doute là-dessus. La seule chose que je lui avais demandée c'était de déménager le plus loin possible de moi. De ne pas me rencontrer dans la rue avant et après les sorties du boulot.

Il passait de plus en plus de temps chez son frère. Son discours commença à changer. Je devais lui promettre que j'allais tout faire en vue de mon bonheur. Tout comme lui, il le faisait.

On se donna rendez-vous dans un petit parc près du Mont-Royal. Je voyais sur son visage la culpabilité faire des ravages. Mais la décision s'était enracinée dans sa tête. C'était comme un flux mystérieux qui avait pris emprise sur sa vie. Un éclat radieux, un éclat mystique.

L'éclat irréel qu'on peut déchiffrer sur le visage des jeunes hommes le jour où ils se jettent dans les flammes, où ils font exploser des voitures, où ils lancent des bombes suicidaires ou tout simplement où ils se dirigent vers leur mariage. Une beauté inouïe, comme si l'ange du destin les avait effleurés.

« Je le regrette de tout mon cœur mon bébé. Je sais que tu mérites bien mieux que ça. Je regrette de ne pas pouvoir te donner ce que tu désires. Mais je suis redevable à mon monde. Parfois je ne comprends même pas pourquoi je dois faire une telle chose. C'est un mystère. Mais je ne me pose plus de questions. Si je ne le faisais pas, je ne pourrais vivre une journée de plus. Tu me comprends ? »

Non, je ne comprenais pas. Il m'embrassa, il me consola, il me serra dans ses bras tout en continuant à me proférer ces mots qui resteront marqués à tout jamais dans ma mémoire : « Dans le Coran, il est dit que les couples peuvent se séparer deux fois. Ils peuvent aussi se remettre ensemble deux fois. Une troisième fois n'existe pas. Chacun d'entre nous devrait chercher son bonheur. Si cela ne marche pas, alors oui, on tournera l'un vers l'autre.

– Amran, il ne restera rien, absolument rien de notre rencontre. Une clé USB avec quelques scènes pornos, quelques endroits où on s'est promené. Rien. »

Il ne pouvait rien y faire. Il voulait vivre dans la chaleur de son pays, dans la tendresse de sa mère, bercé par les tendres paroles du Coran. Entre moi et sa mère, il n'y avait pas de négociation. Il choisirait, les yeux fermés, sa mère. Son frère aurait fait exactement la même chose. Il l'avait fait, d'ailleurs. Son neveu aussi, celui qui s'apprêtait maintenant à quitter le bled, le fils de sa sœur. Sa sœur n'était pas un modèle, dans sa réticence grincheuse. Un vrai modèle, oui, sa grand-mère, celle qui connaissait la place du soleil dans l'univers, qui connaissait la recette du bonheur de ses fils et qui avait rencontré le petit bonhomme envoyé par le bon créateur, un jour quelconque de son enfance.

Le visage d'Amran était transfiguré. C'était comme si on lui avait amputé la volonté. Comme si on lui avait révélé la vérité.

Qu'est-ce qu'on allait donc devenir, vu que depuis qu'on se connaissait on n'avait pas passé une seule journée loin l'un de l'autre ?

On commencerait le sevrage. Au début on ne s'appellerait plus pendant quatre heures, puis on commencerait à se voir tous les deux jours, puis tous les trois jours, puis une fois par semaine. Je lui donnai un petit cahier pour qu'il consigne ses pensées pendant qu'il était loin de moi. Un mois plus tard, je l'ai vu sous le pied du canapé dans la chambre principale de son petit appart.

Il s'acheta de nouveaux meubles. Mon regard à la vue de toutes ces préparations l'effraya. « J'ai peur que tout le mal que je te fais se retourne un jour contre moi, contre ma progéniture. » Il était superstitieux.

Il continuait à m'appeler, pour des raisons qui m'échappent. « Je suis mort sans toi, tu sais ? » Sa femme l'appelait en même temps. Sans cesse. Sa mère également. Sa famille pareillement. Il n'eut pas le choix.

« Je vais continuer à te voir, même après mon mariage. Je ne sais pas comment on va faire. C'est ma seule certitude. Je vais tomber à genoux devant toi, sur Monkland. Tu devras m'accepter. »

On devait tuer le désir. C'était le plus difficile. C'était la chose qui s'interposait dans son regard lancinant, extatique, en train de faire des préparatifs de mariage. « Je sais qu'on va se faire énormément de mal », me dit-il la première fois qu'on s'était vus, après quatre jours de séparation.

À le regarder de l'autre côté des rails, dans la station du métro, j'ai eu à nouveau l'appréhension de la fatalité. Cette histoire était écrite dans notre code génétique, c'est ce que je ressentis sur le coup. Lui, de son côté, devait se purifier, redevenir le mâle astucieux devant sa femme. Il n'y avait qu'une seule entrave à cette démarche fastidieuse : le désir qui brûlait ses intestins. Il fallait qu'il sacrifie tout, qu'il jette tout – mes cahiers, mes photos, mes plats et mes draps et qu'il remette de l'ordre dans sa vie. Qu'il se prépare pour la cérémonie des noces.

À chaque fois qu'il s'approchait de moi, à humer mon parfum ou à étendre l'odeur de ma vulve sur ses mains, en fermant les yeux pendant qu'il se les approchait de la narine, il se sentait coupable. Il se sentait de plus en plus coupable. À ses yeux, il était déjà de l'autre côté. Il ne savait plus qui j'étais. Sauf qu'il perdait toute motivation de vivre. La laveuse qui se déversait avec furie, le plancher qui tremblait affreusement à chaque fois qu'il se mouvait dans son appartement, le bruit des voix des voisins, les ivrognes dans la rue. La vie était devenue insupportable. Il avait besoin de support. Il se fit traiter. C'était les symptômes, sans conteste, d'un préambule de dépression.

Les yeux fermés, il envoya aux services d'immigration la demande de parrainage pour sa femme. Deux semaines plus tard, il m'annonça qu'elle avait déjà son visa. Il était abasourdi, il n'était pas prêt. « Est-ce que tu es prête ? » Comment est-ce que je pourrais l'être ? Je n'opposais plus aucune résistance. Je regardais ses actes, son visage, son appart, comme si cela ne faisait plus partie de ma vie. Je voulais être là jusqu'au bout. Je n'attendais plus rien. Mais je ne pouvais non plus m'en défaire. J'étais prise de vertige, tel un pion dépouillé, telle une reine fugitive dont le royaume était dévasté.

Son visage était épeuré, effrayé. Il ne s'attendait pas à ce que les choses se fassent aussi vite ; il voulait remettre ses décisions entre les mains du destin. « Ma mère m'aurait tué si je ne l'avais pas fait. Ou si je l'avais même reporté. Elle ne veut pas rester toute seule à la maison avec deux femmes et deux ados. En plus, elle doit aller en France pour assister à la naissance du deuxième bébé de la famille. Tu sais qu'une fois mariée, la femme doit déménager dans la famille de son époux. »

J'étais fatiguée. Le destin avait achevé son œuvre. La plupart de ses amis attendaient pendant au moins une année l'arrivée de leurs conjointes, fraîchement atterries du pays. Il ne comprenait pas pourquoi l'immigration avait été aussi généreuse dans son cas. Sa manœuvre n'avait pas réussi. Tout jouait contre nous. Il n'était pas prêt.

La laveuse était en place, les meubles également, les draps étaient rangés dans l'armoire, mon petit cahier se trouvait sous le canapé, les préparatifs des noces se précipitaient au bled. À son travail, tout le monde était au courant de son départ imminent. À moi, il ne m'en resterait rien.

« Ta mère sera contente, je lui dis.

– Et toi, toi, qu'est-ce que tu deviendras ?

– Je ne suis pas ta mère. »

Les choses se passèrent de manière accélérée. Je n'eus même pas le temps de comprendre ce qui m'arrivait. La seule chose que je savais c'était que je voulais être présente jusqu'à la fin. Pour comprendre. Pour voir. Pour revoir.

On faisait parfois l'amour. Et là, de vieilles images, de vieilles tendresses s'interposaient. On parlait de la vie. On parlait de tout. J'étais sa confidente. J'étais plus vieille que sa mère.

« Qu'est-ce que tu ressens envers elle ? lui demandai-je la dernière fois qu'on fit l'amour. Parlez-vous sur *Skype* de votre nuit des noces ? Qu'est-ce que vous vous dites ? Est-ce que tu ressens du désir ?

– De la peur et de l'appréhension. Mon seul espoir est de pouvoir répéter avec elle ce que j'ai vécu avec toi. Je n'ai jamais dépucelé une femme. J'ai peur. »

Son seul espoir. Sa crainte. Son cauchemar. Il n'avait pas d'autre chance que de se débarrasser de moi, de ma mémoire, de notre passé. Tout oublier. S'il ne réussissait pas, alors là effectivement, il était foutu. Il allait déraciner sa femme, l'amener à l'autre bout du monde pour l'insérer dans cette aventure qu'il avait commencée avec moi ? C'était exclu. Il allait plutôt tout faire pour se convaincre que c'était la seule vie qui valait la peine d'être vécue. Il allait me sacrifier, moi. Je ne voyais pas d'autre issue. Sur quel pied est-ce qu'il pourrait encore danser devant moi après la cérémonie, après les vœux et après la conversion de l'autre côté de l'Atlantique ? Dans quelques semaines, sa femme allait dormir dans ce lit où nous faisions l'amour. C'était inacceptable. Cela dépassait toute logique.

J'ai donc accepté le sevrage. Je tressaillais parfois, je me révoltais, mais la plupart du temps je me taisais. J'avais appris le silence. Les exercices que j'avais faits dans le centre de méditation n'y étaient pas pour rien.

Le temps devint lourd. J'avais hâte qu'il parte. J'avais hâte qu'il disparaisse. Qu'il s'efface. Je ne savais pas à quel point j'aurais du mal à effacer ses traces.

Deux semaines avant son départ, je lui écrivis une lettre. J'avais perdu mon honneur. Mais j'avais également appris son sens de l'impossible, celui qui faisait en sorte qu'il cherche un appartement pour lui et sa femme, tout en y projetant son avenir avec moi. J'avais appris la logique du Berbère.

« Bonjour, mon amour, tu ne veux pas venir me voir et t'enfuir à l'autre bout du monde ?
on aurait plein d'enfants, on écrirait des livres ensemble
on jouirait de toute la beauté de la vie
on achèterait un palais pour nous où tu serais le sultan,
entouré par des milliers de femmes,
on passerait de temps en temps la nuit chez ton frère qui t'envierait pour ton courage d'avoir assumé une telle existence
il t'en voudrait parce que ça lui rappellerait son passé
tu lui présenterais notre fils, un beau Berbère

aux traits de son père
et toute cette fiction qu'on a déployée ensemble
dans notre solitude deviendrait réalité
une réalité qui surmonterait l'âge et la mort
on partirait ensemble, incompris et heureux,
défiant les paroles, les croyances et les gestes,
restant dans les légendes, pour avoir surmonté
la souffrance, l'incompréhension et la haine. »

Il m'appela tout de suite :

« Tu es enceinte ?

– Non, je ne le suis pas. »

Il n'y aura ni enfant, ni livre, ni amitié. Aucun témoin de mon ahurissant passage dans ta vie. Seule la mémoire. Mais la mémoire est un faible témoin. À quoi bon souffrir ? À quoi bon vouloir ? À quoi bon désirer ?

Son visage était transfiguré. Une amertume radieuse, je dirais. « J'ai le droit à ma vie, n'est-ce pas ? me disait-il de plus en plus souvent. Toi, tu as tout connu. Moi, je ne connais rien. La seule certitude que j'ai, c'est que j'aimerais que tu restes dans ma vie. Que je continue à te faire l'amour. Que je continue à t'aimer. Tout le reste est vague. Je n'arrive à rien déchiffrer. »

Il partit vers la mi-juillet. Il m'appela encore quelques fois les derniers jours avant son départ, mais je ne lui répondais plus. Je pense que pendant ce temps-là, j'avais ouvert la bouche quatre fois. Au plus.

Une semaine avant son départ, on a mangé ensemble dans un resto de Monkland. On ne parlait pas de notre séparation, imminente. On parlait de frivolités. La Russe traversa notre chemin, pendant qu'il me conduisait vers le bus. Son visage était victorieux. Le mien, livide. Je ne dis à Amran rien d'autre que : « Ciao. » Il s'approcha de moi, cherchant à m'embrasser. Mon visage ne bougeait pas. C'était celui d'un masque. Je ne ressentais plus rien.

La veille de son départ, j'ai rencontré le Libanais. J'avais besoin de son regard. Son regard était plein de désir. Cela empêchait le mien de se lever vers les avions qui filaient dans le ciel. Le jour de son départ, j'étais avec mon fils sur le bord du Saint-Laurent. Il m'appela quinze fois. Je n'ai plus répondu. Je me sentais la dernière des femmes. Il ne s'agissait plus d'honneur, de dignité ou de souffrance, il s'agissait de quelque chose qui dépassait ma compréhension. J'avais vécu une année avec Amran et je n'avais rien compris à son monde. Lui non plus au mien, d'ailleurs.

Pendant quelques jours, je ne ressentis rien. Puis il commença à me manquer. Terriblement. Aucun signe de sa part. C'était comme si la mort l'avait englouti. Son monde. Sa femme. La mort. J'essayais de voir son trajet depuis notre séparation. Lui, en avion, secondé par son frère, sa belle-sœur et son neveu, affichant les miettes d'un bonheur composé, l'âme jetée en dehors de notre monde. Le lendemain en Algérie, les cadeaux, le bruit, la danse, la musique, le visage inconnu de sa femme, son lit virginal, les regards de tout le monde rivés sur sa virilité, sur ses performances cachées, le visage rougissant de sa femme, bienvenue dans la grande famille, bienvenue au clan, on a passé un bon moment à ton mariage, les photos, la maladresse du début, le sexe que sa femme apprendra petit à petit, l'excitation qui s'ensuivra, l'excitation d'avoir à soi, rien qu'à soi, une femme que personne n'a touchée auparavant ; que peut-être plusieurs ont désirée, mais jamais touchée.

C'était impossible. Après son retour, il allait m'appeler. C'était monstrueux. Avaler sa langue, disparaître. Pire que la mort. Surtout que, j'en étais convaincue, il ne pouvait pas répéter notre histoire. C'était inhumain, d'aimer une femme et de devoir initier une autre à la vie.

Aucun signe. Plus le temps passait, plus je me rendis compte qu'il avait étouffé sa mémoire ; qu'il avait embrassé, extatique et obéissant, la voix de son peuple, la voix de sa mère. Son visage deviendra comme celui de son père, traqué par son passé, incapable de joie. La courte joie qu'il éprouvera avec sa femme sera bientôt dissoute par nos souvenirs communs. Il allait se prendre en photo à l'Oratoire, ils allaient grimper à pied la tour olympique, « la plus grande tour penchée au monde » (il aimait les formules de la victoire, du succès, les formules toutes-faites), ils allaient regarder ensemble la nuit étoilée et les tréfonds de l'espace au Planétarium, tout cela pour se dire que rien n'était perdu, qu'il pouvait répéter tout ce qu'on avait vécu ensemble, qu'il n'avait pas besoin de moi pour être heureux. C'était lui qui sécrétait le bonheur. C'était la grande ville de Montréal qui secrétait le bonheur. C'était l'Amérique qui secrétait le bonheur. Aucunement moi.

À chaque fois que je voyais des avions dans le ciel, j'avais envie de vomir. Cette sensation perdura plusieurs mois. Je voyais son avion en train de se diriger vers l'Algérie. Je voyais son avion de retour rempli des frusques de sa femme, rempli de ses illusions sur la nouvelle vie.

Je sais qu'un jour il reviendra. Son visage perdra petit à petit les traits de la victoire. Il commencera à vieillir, courbé sous son projet de vie réussie : son contrat à durée indéterminée, son mariage, ses enfants, sa maison, son devoir. Tout disparaîtra devant l'évidence. Et là, mon tour recommencera. Sa femme ne sera plus vierge depuis longtemps. Je me prépare pour ce jour. La vie est tellement longue.

Mon regard sera impitoyable.

Ou peut-être apprendrais-je la compassion ? Ça sera un jour où rien ne comptera plus ? Ce sera trop tard ?

J'ai tout imaginé. Puis je n'ai plus rien imaginé. J'ai commencé mon oubli. Dans quelques mois cette histoire ne serait que de l'ombre, c'est ça que je lui avais annoncé.

Je n'ai plus aucune nouvelle de lui depuis. Je l'ai vu une fois par hasard, à la sortie de son travail, deux semaines après son arrivée. Il parlait au téléphone. Probablement avec sa femme. Probablement pour lui donner rendez-vous sur Monkland, après ses cours de francisation.

Un mois plus tard, quand j'ai commencé à comprendre qu'il n'y avait plus de retour, je l'ai appelé. J'étais encore prête à sacrifier mon livre, *Le plaisir interdit*, en échange de la vie. De la vie réelle. De notre histoire.

Il me répondit :

« Comment vas-tu ?

– Et toi, comment vas-tu ?

– Est-ce que tu as repris tes relations épistolaires avec tes amoureux cachés ? Est-ce que tu as trouvé quelqu'un d'autre ? »

J'étais sidérée. Qu'est-ce que j'aurais dit, moi, à sa place ? Je lui posai la question capitale. Je n'avais plus rien à perdre. Je devais connaître la vérité, coûte que coûte.

« Je dois t'avouer que tout se passe bien.

– Mieux qu'entre nous ?

– Je ne répondrai jamais à cette question. Je t'avoue aussi que ce fut extrêmement difficile. Tu as eu raison. Revenir ici, dans les lieux où, nous deux, nous avons vécu notre histoire. »

J'insistai : « Mieux qu'entre nous ? »

Il répéta la même phrase :

« Je ne répondrai jamais à cette question. J'ai plongé dans le travail. C'est là que j'ai trouvé mon équilibre. Il y a trop de choses que je ne peux plus gérer. Le travail, chez moi. Je n'ai même plus de temps pour faire du sport. C'est la seule chose que je sache faire. J'aurai bientôt ma permanence.

– Ça, c'est une très bonne nouvelle.

– Effectivement, je ne devrai plus patauger dans la précarité. Au moins cela. »

Une longue pause. « Je dois retourner au travail maintenant. Je ne cesse de changer de tâches et de responsabilités. Je t'avoue que c'est très stressant. » Une autre pause : « Prends bien soin de toi et de ton fils. Je t'embrasse. »

Fin. Ce fut notre dernière conversation.

J'ai parfois envie de réduire le monde en cendres. J'ai parfois envie d'exploser en un rire gigantesque. Ce monde prit sa part. Défonce et dégage. Survis !

Est-ce que je le reverrai ? Est-ce que je dois donner cours aux avances du Libanais que j'ai rencontré le jour précédant son départ, afin de l'oublier ? Est-ce que je dois partir ailleurs ? Est-ce que je dois boucher mes oreilles quand les avions volent au-dessus de ma tête ? Est-ce que je ne dois plus regarder les jeunes femmes arabes qui me croisent dans la rue, en me demandant comment elles font l'amour ? Est-ce que je ne dois plus penser à mon âge ? Est-ce que je dois apprendre à ne plus avoir peur de vieillir ? Est-ce que je dois partir dans le Sud ? Est-ce que je dois publier ce livre, *Le plaisir interdit* ?

Fin

Je le publiai, le livre. Et j'ai vu Amran une toute dernière fois grâce à lui.

C'était la soirée des dédicaces. Il apparut là, du néant. J'ai cru perdre mon souffle, mais je me suis contenue. Il ne pouvait rien faire.

Il était piégé. Ne pouvait pas bouger. Il devait défendre l'honneur de sa famille. Il ne dévoilerait jamais notre secret. C'est bien lui qui aurait voulu écrire ce livre. Moi, j'ai finalement lâché prise. J'ai fait un don généreux. Au moins une femme venant de là-bas connaîtrait le plaisir. Sa femme. Grâce à moi. Moi, j'ai fini mes comptes avec cette histoire. Le Libanais n'a rien pu me faire oublier. « Jure-moi sur la tête de ton fils qu'il n'y a personne à part moi. » Voilà, maintenant je ne le jure plus. Et cela me rend triste. C'est lui en fin de compte qui a imaginé un monde après moi.

Moi, j'ai juste acquiescé.

L'HARMATTAN ITALIA
Via Degli Artisti 15; 10124 Torino

L'HARMATTAN HONGRIE
Könyvesbolt ; Kossuth L. u. 14-16
1053 Budapest

L'HARMATTAN KINSHASA
185, avenue Nyangwe
Commune de Lingwala
Kinshasa, R.D. Congo
(00243) 998697603 ou (00243) 999229662

L'HARMATTAN CONGO
67, av. E. P. Lumumba
Bât. – Congo Pharmacie (Bib. Nat.)
BP2874 Brazzaville
harmattan.congo@yahoo.fr

L'HARMATTAN GUINÉE
Almamya Rue KA 028, en face
du restaurant Le Cèdre
OKB agency BP 3470 Conakry
(00224) 657 20 85 08 / 664 28 91 96
harmattanguinee@yahoo.fr

L'HARMATTAN MALI
Rue 73, Porte 536, Niamakoro,
Cité Unicef, Bamako
Tél. 00 (223) 20205724 / +(223) 76378082
poudiougopaul@yahoo.fr
pp.harmattan@gmail.com

L'HARMATTAN CAMEROUN
BP 11486
Face à la SNI, immeuble Don Bosco
Yaoundé
(00237) 99 76 61 66
harmattancam@yahoo.fr

L'HARMATTAN CÔTE D'IVOIRE
Résidence Karl / cité des arts
Abidjan-Cocody 03 BP 1588 Abidjan 03
(00225) 05 77 87 31
etien_nda@yahoo.fr

L'HARMATTAN BURKINA
Penou Achille Some
Ouagadougou
(+226) 70 26 88 27

L'HARMATTAN SÉNÉGAL
10 VDN en face Mermoz, après le pont de Fann
BP 45034 Dakar Fann
33 825 98 58 / 33 860 9858
senharmattan@gmail.com / senlibraire@gmail.com
www.harmattansenegal.com

L'HARMATTAN BÉNIN
ISOR-BENIN
01 BP 359 COTONOU-RP
Quartier Gbèdjromèdé,
Rue Agbélenco, Lot 1247 I
Tél : 00 229 21 32 53 79
christian_dablaka123@yahoo.fr